여행작가의 기록법

여행 책 쓰기

여행작가의 기록법 ┃여행 책 쓰기

지은이 김지혜(올레비엔)
지은이 이메일 bnseoul66@gmail.com
표지, 내지 디자인 김지혜(올레비엔)
발 행 2024년 05월 02일
펴낸이 한건희
펴낸곳 주식회사 부크크
출판사등록 2014.07.15.(제2014-16호)
주 소 서울특별시 금천구 가산디지털1로 119 SK트윈타워 A동 305
호 전 화 1670-8316
이메일 info@bookk.co.kr

ISBN   979-11-410-8351-9

가 격   17,500 원

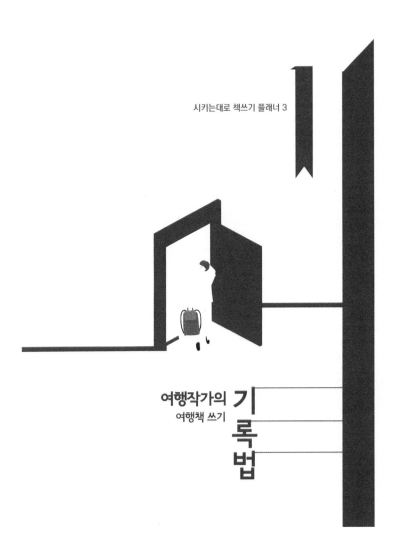

시키는대로 책쓰기 플래너 3

여행작가의
여행책 쓰기
기
록
법

BOOKK🖉

[이미 했어야 할 일]

며칠 전 비행기 표를 샀다. 처음 가는 곳으로 3개월 뒤에 떠날 예정이다. 보통 이렇게 일찍 비행기 표를 구매하지 않는데, 머릿속 상상을 현실로 만들기 위해서 미리 샀다. 이제 여행은 계획이 아니고 확정된 현실이 되었다.

마지막 여행 때, 3년 넘게 목적 없이 장기 여행을 하고 있었다. 어느 날 갑자기, 다른 여행자로부터 꿈이 무엇이냐는 질문을 받았다. '언젠가는 여행의 경험을 모아 책으로 써내고 싶다'라며 충동적으로 나도 몰랐던 답을 했다. 그래야 몇 년간 하릴없이 놀고 먹은 것에 대한 변명이 될 것 같아서였는지, 아니면 오랫동안 가라앉아 있던 아련한 꿈을 기억해낸 것인지 몰랐다. 그날 이후 부끄러운 줄도 모르고 누군가 여행의 목적을 물어오면, 언젠가 여행작가가 되는 것이 꿈이라고 노래처럼 부르고 다녔다. 꿈을 고이 간직하기만 하고, 아무것도 하지 않으면서. 그렇게 4년을 보내다가 코로나로 어쩔 수 없이 한국으로 돌아왔다.

돌아와서야 깨달았다. 그 긴 시간 동안 아무것도 하지 않았다는 것을, 소중한 세월과 기회를 멍하니 흘려보내기만 했다는 것을. 후회할 때는 언제나 늦었다. 돌아와서는 잠을 줄여가며 다시 먹고 사는 일에 다시 몰두했지만, 간간히 지난 4년 동안 하지 않은 일이 생각났다.

현실에 돌아온 순간, 여행은 신기루처럼 사라지고, 기억도 희미해졌다. 놀고먹을 때가 좋았으나 혼자서 간직한 과거는 그것이 실재했는지, 상상이었는지 가물가물해져만 갔다. 머릿속에는 항상 오늘 할 일만 가득했다.

이 책은 과거의 나처럼 언젠가 여행작가가 되고 싶은 이를 위한 책이다. 특히나 장기 여행을 계획하고 있거나, 여행에서 무엇을 보고 느껴야 하는지 잘 모르겠을 때, 스스로에게 던질 수 있는 질문들을 모아 두었다. 내가 장기 여행을 하는 동안 '했어야 할 일', 기록하고 각자의 시선으로 재조립하는 것을 돕고 싶었다. 여행기를 책으로 내고 싶은 사람이 여행을 이해하고, 기록하고, 순간의 의미를 이해하기 위한 (글을 쓰기 위한) 체계를 만드는 책이다. 이 책과 사전 준비를 한 뒤 앞으로의 여행을 기록하면 좋겠다. 우리가 만난 세상이 어떤 것인지, 여행의 의미는 무엇인지, 어떤 일이 일어났는지를 책으로 엮기 위한 사전작업을 함께 하고 싶다. 여행책을 쓰고 싶은 사람이 있다면, 이 책을 따라서 여정을 기록하고, 의미를 파악하면서 여행기를 완성할 수 있기를 바란다.

좋은 순간만 모을 수 있다면,

80이 넘어서 치매에 걸린 이모님이 계셨다. 엄마랑은 자주 왕래를 했지만, 이모와 내가 어딜 갈 일은 별로 없었다. 어느 가을날 엄마와 이모의 나들이에 운전기사로 따라갔다. 특별한 것 없는 꽃구경이었는데, 나들이를 자주 못 하는 이모가 너무 좋아하시는 것을 보고, 그날의 사진을 모아서 사진집으로 선물했다. 이모와 나와의 관계는 그게 전부다. 이후에 이모는 치매에 걸려서 엄마도 잊고, 자식들도 잊고, 본인도 잊었다. 그러면서도 사진집을 보면서 본인이 다녀온 줄도 모르고 좋아하셨다고 한다. 사람은 자신마저 잊어도, 어떤 것이 좋은 것이고, 어떤 것이 나쁜 것인지는 잊지 않는다.

여행의 기록은 우리에게 가장 자유롭고 좋았던 날을 기록하는 것이다. 살아온 수많은 날들 중에서 완전히 자유롭고, 완전히 좋은 날이 얼마나 되겠는가. 그럼에도 우리는 그날을 잊는다. 마음은 살아남기 위해 아프고 힘든 것은 절대 잊지 않지만, 좋은 날은 중요도에서 멀어져 조금씩 희미해져 가고, 삶의 여력이 없어서 아쉬운 줄도 모르고 잊어 간다.

생에 가장 좋은 순간만 모을 수 있다면, 아마 그것은 우리가 쓴 여행기가 될 것이다. 이 책이 여행기를 쓸 수 있는 설계도가 되기를 바란다.

2023. 제주
올레비엔

『시키는 대로 책쓰기 플래너』
1~3권을 활용하는 법

수많은 책쓰기에 관한 책이 있는데도, 작가의 꿈을 이룬 사람은 많지 않다. 책쓰기의 어려운 점은 글쓰기의 기술뿐 아니라 일정 관리, 원고 작성의 실질적 과정들을 효과적으로 관리해야 한다는 점이다. 이 책은 좋은 글을 쓰기보다는 책을 만드는 과정에 집중했다. 한 번도 책을 써보지 않은 사람이 매일 한 단계씩 문제를 해결해 나가면서 책을 완성할 수 있도록, 학습지처럼 구성했다.

시키는 대로 책쓰기 플래너 전 권의 구성
1. 『60일 종이책 초고완성』 - 초고를 완성하는 방법과 일정
2. 『90일 종이책 작가 되기』 - POD 자가출판으로 책을 만드는 전 과정 (원고 작성, 내지 편집, 표지 디자인, 등록의 전 과정)
3. 『여행작가의 기록법 / 여행책 쓰기 』 - 여행을 기록하고, 여행책을 쓰는 과정 (여행 기간별 기록 방법과 원고 쓰기)

『60일 종이책 초고완성』
45일간의 초고 쓰기, 15일간의 퇴고 후 탈고

『60일 초고완성』은 초보자들이 가장 어려워하는 초고를 쓰는 일정을 제시한다. 1 일차에서 60 일차까지 제시된 과제를 진행하면 자연스럽게 원고를 완성할 수 있도록, 매일 과제를 제시한다.

이 책의 구성은 어떻게 보면 뒤죽박죽이라고 생각될 수도 있는데, 60일이라는 시간 안에 원고를 쓸 수 있게 일정을 구성하려면, 글쓰기가 무엇인지 이해하기도 전에 목차를 먼저 써야 하기 때문이다. 초보자가 몇 달씩 원고를 쓰면, 책을 완성하기가 힘들다. 점점 관심에서 멀어지기 때문이다. 누구나 60일 안에 원고를 완성할 수 있도록, 당장 목차를 만들고 나서, 초고 쓰는 법이나, 글쓰기에 대해 설명하는 과정으로 되어있다.

이 책에는 글을 잘 쓰는 방법이 별로 없다. 매일 써야 하는 부분과 과제를 설명하기에 바쁘다. 일주일 동안 목차를 쓰고, 다음에는 머리말을 써야 하는 실질적인 일정을 주로 제시한다. 초고를 쓰는데도, 어느 정도 방법이 있기 때문이다.

글쓰기, 초고 쓰는 법은 사실 배울 수 있는 분야는 아니다. 작가의 언어는 누가 가르쳐 줄 수 있는 것이 아니다. 그러나, 초고를 쓰는 방법, 매일 써야 하는 분량, 메모를 활용하는 법 등은 충분히 공유할 수 있다. 아무 체계 없이 혼자 책을 쓰면 시행착오를 거치고, 시간 낭비를 할 수밖에 없다. 나와 <90일 작가 되기>의 작가들이 책을 쓰면서 했던 고민과 시간이 가져다준 노하우를 함께 담았다.

『90일 종이책 작가 되기』
내지 편집: 한글프로그램 - PDF 파일
표지 디자인: 미리캔버스 - PDF 파일
등록: 부크크
유통:YES24, 교보문고, 알라딘 등 온라인 서점

『90일 종이책 작가 되기』의 특징은 출판이나 디자인에 문외한인 사람도 스스로 자신의 책을 디자인, 편집할 수 있도록, 가장 쉬운 방법을 제시한다. 한국인이라면 <한글프로그램>을 사용하지 못하는 사람이 거의 없는데, 한글을 이용해서 가장 쉬운 방법으로 내지를 편집하고, 디자인 플랫폼 <미리캔버스>를 이용해서 표지를 만든다. 표지와 내지 편집을 마치면, POD출판 플랫폼 <부크크>를 통해서 등록하고 출판하게 된다. (POD 방식은 1권씩 인쇄해서 판매하는 주문 후 생산 방식으로, 비용이 전혀 들지 않는다.)

<부크크>에 책이 등록되면, 교보, 알라딘, Yes24 등 온라인 서점을 통해서 판매도 가능하다. 책 편집에서 판매까지의 모든 과정을 담았다.

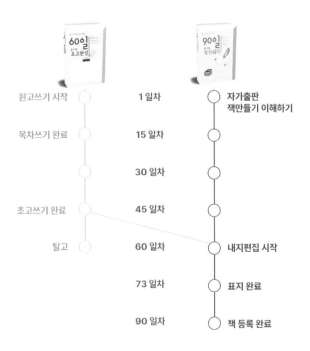

원고쓰기 시작	1 일차	자가출판 책만들기 이해하기
목차쓰기 완료	15 일차	
	30 일차	
초고쓰기 완료	45 일차	
탈고	60 일차	내지편집 시작
	73 일차	표지 완료
	90 일차	책 등록 완료

『90일 종이책 작가 되기』,『60일 종이책 초고완성』은 서로 연결되어 있다. 필요에 따라 두 권을 동시에, 아니면 필요한 책만 읽으면서 책쓰기나, 책 만들기를 진행하면 된다.

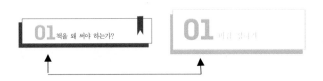

같은 숫자의 챕터는 같은 날짜에 동시에 보면 된다. 1-60일까지는 두 권을 동시에 보고, 61일부터는 『90일 종이책 작가 되기』만 보면서, 책을 편집하고, 표지를 디자인하고, 등록하는 과정을 남은 한 달간 마치면 된다. 두 책은 서로 연결되어 있으면서도 필요한 책만 선택할 수 있도록 독립적으로 완결하려고 했기 때문에, 필요한 책만 선택해서 진행하면 된다. 두 권을 매일 동시에 진행하면 온라인 클래스에 참여하는 것과 같은 일정으로 책쓰기를 진행할 수 있다.

『여행작가의 기록법 / 여행책 쓰기』

여행 전, 후 기록해야 하는 것과 써야 하는 글
여행 기록을 위한 양식
여행에 대한 질문들

『여행작가의 기록법』은 시키는대로 책쓰기 플래너 시리즈의 3편이다. 앞서 『60일 종이책 초고완성』과 『90일 종이책 작가 되기』에서 원고를 쓰는 방법과 책을 만드는 과정에 대해서 일자별로 이미 상세히 다뤘다. 『여행작가의 기록법』에서는 여행기에 집중해서, 여행기 원고를 어떻게 작성할 것인가에 집중했다. 책을 만드는 법이나 초고작성 스케줄은 1권과 2권을 참고하면 된다.

이 책에서는 여행기라는 장르적 특성과, 여행기 원고를 쓰기 위해서 필요한 내용에 대해서 다뤘다. 여행기에서 가장 중요한 토대가 되는 기록을 위한 양식, 여행 전, 후 쓰고 기록해야 할 것들을 체계적으로 정리하려고 노력했다. 마지막에는 여행기 컨텐츠를 위해서, 여행에 대한 질문들을 모아 두었다. 질문들에 대답하면서 자신의 여행을 돌아보고, 작가의 관점으로 여행을 재해석해서 자신만의 이야기를 담은 여행책이 세상에 나오기를 바란다.

시키는 대로 책쓰기 시리즈 3

여행작가의 기록법 | 여행책 쓰기

본격적인 여행책 쓰기   132

시키는대로 책쓰기 3

여행작가의 기록법
여행책 쓰기

[여행을
책으로 써야 하는 이유]

[여행을
책으로 써야 하는 이유]

책을 내고 싶은 사람은

언젠가 내 이름으로 된 책을 내고 싶어 하는 꿈이 있었다.

언젠가는 쓸 거야,

좀 더 성숙해지면 써야지,

시간이 날 때 써야지,

쓰고 싶은 이야기가 생기면 써야지,

미루는 일은 일상이 되었고, 미룬다는 생각조차 못 하고 있었다. 다른 꿈들은 목표나 구체적인 일정이 있었지만, 책쓰기는 어떤 계획도 심지어는 목적도 없었다. 나 말고 다른 사람들도 책을 내는 것은 이상하게도 현실적으로 달성하고 싶은 목표가 없는 경우가 많다. 꼭 베스트셀러가 되거나, 유명작가가 되고 싶다기보다는 생각을 정리하는 것, 책으로 하고 싶은 이야기를 펴내는 것 자체가 목적이 되는 경우가 많다.

중요한 이야기는 말로 꺼내서 하기는 어렵다. 언제나 중요한 일들에 밀리고, 시간에 쫓겨서, 진지한 이야기를 인내심을 가지고 들어줄 사람도 마땅치 않다. 책을 내고 싶은 마음은, 한 번쯤 자신만의 깊은 세계나 고유한 인간적인 아름다움을 드러내고 싶은 욕망에 가깝다. 가장 가까운 사람과 끝없는 수다로도 갈증이 해소되지 않아, 진실한 이야기를 언젠가는 풀어 놓고 싶어 하는 사람들이 바로 책을 쓰고 싶은 사람들이다.

글쓰기의 즐거움과 책의 무게

오직 자신만 알고 있는 세계가 한 사람이라는 존재에 갇혀서 소멸해 버리는 것을 안타까워하는 사람들이 글쓰기를 시작한다. 글이라는 가장 개인적이고, 무한한 자유의 공간에, '나'라는 존재를 풀어놓을 때, 비로소 존재의 아름다움, 고유함이 빛나는 것을 느낀다. 글 안에서야말로 온전한 '나' 자신으로 순수하게, 타고난 성품대로 명랑하거나 진중하고, 오랫동안 품어온 엉뚱한 생각이나 경험이 가득한 지나온 세월을 끝없이 드러낼 수 있다.

순수한 마음으로 꾸준히 글쓰기를 멈추지 않았지만, 책을 쓰기로 작정하면 마음이 무거워진다. 자신의 영혼과 경험을 책으로 묶으려는 순간에 사람들은 다시 세상을 의식하게 된다.

자서전이나 에세이를 써야 할까?

실용서나 전문적인 내용을 써야 할까?

아는 사람이 보게 되지나 않을까?

개인적인 이야기를 쓸 필요가 있을까?

온갖 고민에 시달리면서, 책이라는 무게 때문에 무언가 세상에 도움이 되는 이야기를 써야 할 것 같은, 아무도 강요하지 않은 중압감을 느낀다. 그래서 쉽게 글 쓰는 즐거움을 잊는다. 자서전이나 에세이를 쓰려고 돌아보는 자신의 인생은 무겁거나 초라하고, 생활인으로 갈고 닦은 실용적인 내용을 쓰기에는 적지 않게 부담이 된다. 가까운 사람의 비판이 두려워서, 너무 지극히 개인적인 내용이라서 고민을 거듭하다가 포기하는 사람도 많고, 거의 완성되었으나 글에 비친 자신의 비루한 모습에 출간을 포기하기도 한다.

여행기로 첫 책을 써야 하는 이유다. 여행에서의 '나'는, 자서전, 에세이, 실용서에서의 '나'와 다른 사람이다. 여행을 떠난 길

위에서 '나'는 사회적인 지위와 관계를 집에 두고 온 자연인에 가깝다. 긴 삶의 굴곡에서도 한 발짝 떨어져 태생적 본성으로 잠깐 돌아오는 순간이 여행에서의 '나'다. 여행기에서는 작가의 영혼이나 삶의 관점을 얼마든지 글로 드러낼 수 있지만, 무거운 삶의 질곡을 소재로 삼지 않아도 된다. 사명감으로 전문서적을 뒤적이면서 정확한 근거자료를 찾아야 하는 압박감에서도 비교적 자유롭다.

여행은 또, 스스로와 가장 근접해서 대면하는 순간이기도 하다. 회사나 집에서 정해진 역할로 사는 데 익숙해져서, 스스로가 누구인지 잇더라도 정해진 역할을 꼼꼼히 수행하면서 살아나가는 사람들이 우리다. 여행에서는 다시 자신으로 돌아가 모든 순간 스스로에게 묻고, 판단하고, 느끼게 된다. 우리가 누구인지 어떤 사람인지를 드러내지 않고도 영혼을 드러낼 방법이 있다면 바로 여행기를 쓰는 것이다. 가장 '나' 자신일 수 있는 순간을 쓰는 것이, 여행을 쓰는 것이다.

우리가 처음 글을 썼던 이유, 책을 내고 싶었던 이유에만 집중할 수 있는 가장 천진한 세계로 가득한 책이 바로 여행기다. 그래서 첫 책을 내는 사람이 여행기를 쓸 때는 자신의 천성을 천진난만하게 드러내기만 하면 된다.

여행작가가 되어야 하는 이유

처음으로 여행작가가 되어야겠다고 결심한 순간이 있었다. 지자체에서 나오는 여행보조금으로 지방 도시를 여행하던 때였다. 여행보조금을 받는 대신에, 매일 일정한 분량의 사진이나 글을 블로그나 인스타그램에 올려야 했다. 이왕 글을 쓴다면 도움이 되는 글을 쓰고 싶어서, 버스 기사님이며, 관광지 매표소 직원분이며 만나는 사람마다 꼬치꼬치 캐묻고 다녔다. 혼자 하는 여행은 어차피 심심해서, 할 일이 있는 편이 나았다.

혼자 온 여자가 이런저런 질문을 하면, 으레 '여행작가냐' 며 되물어온다. 그때는 첫 책을 내기 전이라, 지자체에서 돈을 받아서, 블로그를 써야 한다고 구구절절하게 설명해야만 했다. 지레짐작으로 여행작가를 만났다는 생각에 환하게 웃으면서 던진 확신에 찬 질문은, 흔한 '블로그'라는 말을 듣자마자 싸늘해지면서, 중요하지도 않은 질문을 꼬치꼬치 던지는 여행자를 귀찮게 생각하는 것 같았다. 내 생각에는 여행작가라면 내가 좋지, 상대가 좋을 리가 없는데도, 여행작가가 아니라서 싸늘하게 식은 표정 앞에서 몇 번이나 미안해야만 했다.

한참을 더 지나서, 왜 여행작가를 상대하는 것이 블로거를 상대하는 것보다 덜 귀찮은지 알게 되었다. 귀찮게 꼬치꼬치 물으면서 공짜 친절을 얻고 싶으면, 저녁에 집에 돌아가 저녁 시간을 채울 수다거리 정도는 되어줘야 한다. 지방에서 나고 자라 익숙해져 버린 삶의 터전이 의미 있고, 아름다운 곳이라는 것, 매일 보는 별 볼 일 없는 풍경을 위해서 누군가 공을 들여 찾아왔다는 사실로 친절의 값을 치러야 했다.

'오늘 어떤 사람이 아무도 놀러 오지도 않는데 와서는 사진을 찍고 질문을 해댔는데, 알고 보니 여행작가래'

'우리 동네가 이렇게 예쁜데 사람들이 잘 모른다고 안타까워하더라' 아니면,

'오늘 낮에 여행작가를 만났는데, 이 근처를 꼬치꼬치 캐묻길래, 내가 동네 지리부터 역사에, 가 볼 만한 곳까지 다 알려줬지, 엄청 고마워하더라고'

여행작가와의 만남은 일상의 가치를, 평범한 풍경을 다시 돌아보게 되는 계기가 된다. 나고 자란 터전을 사랑하지 않는 사람은 없다. 볼 것 없는 곳에 왜 왔느냐고 의아해하다가도, 여행하기 좋다고 칭찬을 늘어놓으면, 우리 동네가 살기 좋다며 대부분 자랑을 늘어놓았다. 블로거들처럼 유행을 쫓지 않고 진심을 알아주는 사람으로 여행작가를 어디서나 환대해 줬다. 여행작가는 구경거리도 된다. 놀고먹는다는 소문만 무성한, 유니콘 같은 존재이기도 하다. 반가운 마음에 어떻게 여행하면서 먹고 사느냐고 물으려는데, 유니콘 탈을 쓴 관종 블로거라서 실망한 사람들을 많이 만났다.

'아! 나를 위해서도, 내가 만날 사람들을 위해서라도 여행작가

가 되어야 겠다' 고 생각했고, 책을 쓰기 시작했다.

여행작가가 되는 것은 어렵지 않다. 여행책을 내면 된다. 요즘 같이 누구나 책을 낼 수 있는 시대에는 누구나 여행작가가 될 수 있다. 다음 여행을 하기 전에 바삐 여행작가 되기에 돌입했다. 목적이 단순해서 어려울 것도 없었다.

"아니 왜 이런 시골까지 왔어요?"
"왜 혼자 다닙니까?, 혹시 여행작가십니까?"
이렇게 물을 때. "예" 하고 한마디로 대답하고 멋쩍게 웃는 것이 목적이었다. 글을 잘 쓰거나 책을 많이 팔고 싶은 생각 따위는 없었다. 급하게 첫 국내 여행 이야기를 모아서 여행책을 냈다. 애초에 여행작가가 되는 것이 목적이라서, 출판사에 투고하지도 않았고, 내가 쓰고, 직접 디자인해서 자가출판으로 책을 내고, 무명의 여행작가가 되었다.

오로지 작가가 되는 것이 목적이었는데, 기록하고, 원고를 붙잡고 앉아 있는 시간 동안에 알 수 없는 화학적 연쇄 반응이 일어났다. 손가락을 많이 움직여서 그나마 좀 똑똑해진 것인지, 오래 앉아 있어서 체력이 보충된 것인지, 글을 쓰기 위해서 열심히 생각을 쥐어짜서 정신이 혼미해진 것인지는 몰랐다. 이전에도 꾸준히 블로그에서 이런저런 연재를 이어왔고, 오랫동안 기록을 멈추지 않았지만, 책은 하고 싶은 말을 다 담을 수 있는 무한한 크기의 그릇이었고, 언제나 돌아갈 수 있도록 항상 그 자리에 있는 안식처였다. 책을 쓰면서 처음으로 무한한 자유를 느꼈다. 첫 책이라 수준은 처참했지만, 내 내면은 진짜 작가가 되는 문을 열어서 걸어 들어가고 있다는 생각이 들었다. 말로는 설명할 수 없는, 가 본 사람들만 아는 새로운 세상을 잠시 엿보고 온 것 같았다. (처참한 첫 책의 수준이 궁금하면 『프로 한달 여행러의: 진주 살아보기』를 찾아보면 된다. 나중에 첫 책을 쓸 때 충분한 용기를 줄 것이라 보장한다.)

물론 '여행작가에요?' 묻는 질문에 수줍게 '네'하고 대답도 했다. 멋쩍게 웃을 여유는 없었다. 그래도 여행작가에게는 사람들이 커피도 주고 과자도 많이 나눠준다. 여행 중에 만난 사람과 나, 모두 비로소 평안을 얻었다.

무엇이 되고 싶은 이유가 꼭 거창할 필요는 없다. 수많은 사람이 매우 다양한 이유로 다양한 일들을 만들어나간다. 현실적인 이유라고 해서, 대단한 내용이 아니라고 해서 주저할 필요는 없다. 중요한 것은 '하고 싶은 일인가?', '절실히 원하고 있는가'다.

우리는 왜 여행을 기록하는가?

생의 모든 순간을 기억하는 사람은 없다. 인생의 중요한 몇 순간을 빼놓고는 우리는 하루하루를 과거로 밀어내가면서 산다. 학교에 입학하던 순간이나, 결혼식처럼 아무리 오랜 세월이 흘러도 마치 그날로 돌아간 듯 생생하게 기억되는 날도 있다. 중요한 몇 가지 순간들은 아무리 켜켜이 쌓인 과거 속에 있더라도 딱 그날만 꺼내서 기억할 수 있도록 우리 기억 속에 색인으로 표시해 둔다. 이런 특별한 날들은 현재와 연속성을 가진다. 학교에 다니지 않았더라면, 결혼하지 않았더라면, 지금의 나의 상황과 현재는 있을 수 없다. 우리가 그 과거의 날들을 지나온 명확한 증거가 오늘이기 때문에 기억은 더 선명하고 생생하게 오늘의 출발점을 잊지 않고 기억하고 있는다.

그런데 이러한 의미 있는 순간은 인생에서 많지 않다. 지난주 화요일을 명확하게 기억 속에서 꺼낼 수 있는 사람이 몇이나 될까. 지난달 12일을 기억할 수 있는 사람이 있기는 할까? 우리의 삶은 나이테가 쌓이듯이 모여서 의미 있는 인생을 만들어내지만, 모든 순간을 다 기억할 수 없기에 수많은 오늘이 기억 저편으로 사라지고, 사라진 날들은 그저 소모된 것 같아서 안타까운 생각이 들 때가 있다.

여행 역시 소모되어버린 과거의 오늘들 사이에 있다. 안타깝게도 여행은 우리 삶 중에 연속성이 떨어지는 과거다. 인생의 전환점이 될만한 중요한 여행도 있지만, 대부분의 여행은 다녀오지 않았더라도 지금의 현실을 만드는데 큰 변화를 주지 않는다. 연속성이 없다는 뜻은 생각보다 쉽게 잊혀진다는 뜻이다. 가장 아름다운 날들이었지만 결국에는 '아 맞아, 이거 우리 태국에서 사 온 거 였나?' 하듯이 사소하게 희미해진다.

사람에게 물질적인 크기와 몸무게가 존재하는 것처럼 기억할 수 있는 총량도 존재한다. 사람이 자신의 크기를 스스로 정할 수 없듯이 무엇을 기억하고 무엇을 잊을지 스스로 결정하기는 쉽지 않다. 일부는 중요한 날들이 채우고, 다른 일부는 생존에 필요한 기억들로 채우기에도 기억해야 할 것은 너무도 많다. 의지와는 다르게 기억은 생존에 필요한 중요한 것들을 기억하느라 바빠서, 무서운 것, 피해야 할 것, 살아가는데 중요한 것들로 채우느라 기억은 꼭 아름다운 모습은 아니다. 일상에서도 절대 잊어서 안 되는 것들은 불편하지만 중요한 약속, 할 일이 많은 집안 경조사처럼 편하고 행복한 일정이 아닌 것과 같다. 기억은 가만히 두면, 조심해야 할 것, 두 번 해서는 안 되는 실수, 같은 불쾌한 것들로만 채워질지도 모른다. 기억해야 하는 것을 정하는 것, 과거를 행복한 기억으로 채우는 방법이 기록이다. 여행을 기록하면 기억의 과부하 없이도 언제든 행복했던 순간들을 생생하게 기억할 수 있다. 그래서 우리는 여행을 기록해야 한다.

여행을 기록하는 것은 기억 속에 명확하게 참조 표시를 만드는 것이다. 좋은 것으로 기억을 다 채울 수 없지만, 좋았던 날까지 희미하게 만들지 않는 것, 좋은 기억으로 가는 지름길을 만드는 것, 결국에는 과거를 행복으로 채우는 것이 여행을 기록해야 하는 이유다. 기억 속에서 소환하지 않아도 자꾸 떠오르는 '이불킥하는 부끄러움' 대신에, 여행의 순간들로 장식한다면, 기억하는 한 내 삶은 자유로운 여행일 것이다.

여행을 이해하는데는 시간이 걸린다.

성인이 되어 처음 혼자 떠난 해외여행에서 수많은 마법 같은 순간을 만났다. 지금처럼 유튜브도 없던 때 나라 밖 세상은 모든 것이 다 신기했다. 어떤 순간도 잊을 수 있을 것 같지 않았다. 그러나 여행을 마치기도 전에 일부는 잊혀졌고, 다른 많은 여행들 사이에 묻혀서 이제는 그런 일이 있었는지도 가물가물하다. 타지에서 혼자 보내던 밤에 매일 일기를 썼는데, 낮에 본 세상을 이해하는데 도움이 되었다. 그때는 너무도 미숙해서 무엇을 보고, 어떻게 느껴야 하는지 혼란스럽기만 했다. 일기를 쓰는 것은 도움이 되었는데, 여행의 의미를 이해하는데는 시간이 걸리기도 하고, 나중에 그때를 추억하는 데도 도움이 됐다. 당연히 여행책을 내고 싶다면 여행을 기록하는 것이 기본이고, 기록이 얼마나 다각적이고 풍부하나에 따라 여행기가 달라진다. 여행하면서 적어둔 짧막하고 자세한 기록은 여행작가에게는 보물창고가 되기 때문이다.

20대에 너나 나나 해외여행 하는 붐에 휩쓸려서 나도 여행을 시작했다. 그전까지는 적극적으로 뭔가를 한 적이 많지 않았는데, 이유는 몰랐지만, 여행만큼은 가고 싶었다. 간지러운데 긁지 못하는 것처럼 미칠 것 같았고, 한 번도 먹어 본 적 없는 음식이 먹고 싶은 사람처럼 마냥 떠나고 싶었다. 첫 여행은 마냥 신나지만은 않았다. 신기하고, 어색하고, 불편하고, 충격적이었다. 편하고 좋은 것들은 익숙한 집에 있다는 것을 깨달았고, 신기한 다른 세상을 이해하고 싶었지만, 무엇을 보고 느껴야 할지 몰라서 눈만 뜨고 있었다.

새로운 곳에서 놀고먹어서 좋은 것 말고, 무엇이 좋은지는 잘 모르겠고, 먹고 사는 것을 처음부터 다시 배우는 기분이 들었다. 말이 안 통하는 것을 넘어서 이해되지 않는 것 투성이었다. 좌측 통행을 하던 습관 때문에 길을 건널 때마다 반대쪽만 살피고 건너다 위험한 상황이 생기기도 하고, 사람이 왼쪽으로 걷는 것 정도는 다 똑같이 하고 살면 편할 텐데, 왜 이랬다저랬다 하는지도 짜증이 났다. 그런 사소한 것부터 다시 배워야 했다. 내가 보는 것이 무엇인지, 왜 이런지 몰랐고, 심지어 음식조차도 맛이 있는지, 맛이 없는지도 몰랐다. (언어나 문화보다 음식 맛을 알게 되는데 생각보다 많은 시간이 걸린다. 고수나 향신료를 사랑하게 되기까지 거의 10년이나 걸렸던 것 같다) 남들이 좋다고 하는 말만 듣고 입에 맞지도 않는 서양 음식을 맛없고 불편하게 먹고 있는 듯한 생각이 들었다. 무엇을 보고 이해해야 할지 몰라서, 여행은 나를 더욱 혼란스럽게 만들었다.

가장 충격적이었던 것들은 사소한 것들이었다. '맞다'라는 뜻으로 고개를 끄덕이는 대신에 '도리도리' 하는 인도 사람들, '1층은 땅에 있는데, 어떻게 1층이냐며 0층이 맞다'라며 목소리를 높이던 사람들 같은 것이었다. 이러한 사실들은 의문의 여지가 없는 진리라고 착각하고 살았었는데, 진리와 사실, 규칙의 의미를 그때 처음 이해하게 되었다. 마치 선악과를 먹은 사람이 된 기분이었는데, 우리가 살던 세상을 돌아보니 세상에 중요한 진리는 얼마 되지 않았다. 내가 사는 세상이든 외부세계든 영원불변한 것은 몇 가지 되지 않고, 바꿀 수 없는 것은 거의 없다는 것을 이해했다. 그리고 다른 규칙을 가진 수많은 세상이 모여서 세계가 되었다는 것, 우리의 세계는 카오스 그 자체인 것을 알았다.

혼돈을 이해하니까 더욱 혼란스러워졌다. 세상을 이해할 수 있는 통일된 '자' 같은 것은 어디에도 없다는 사실을 깨달았다. 길을 잃은 여행자의 처지와 딱 같았다. 그렇게 혼란스러운 20대의 여행자에게 스승이 되어 준 것은 여행하면서 쓴 일기다. 이후에는 일기에서 블로그로 옮겨갔지만, 여행의 의미를 이해하는 데는 역시 '쓰기' 만한 것이 없다. 학창시절에 깜지 한 번 안 쓰고 공부 잘한 사람이 없듯이 생각을 정리하는 데는 쓰기가 최고다. 요즘같이 여행비가 만만치 않고, 여행의 기간이 길어지는 경향이 있는 때는 한 번의 여행으로 얻는 것이 많아야 한다. 여행의 가성비를 챙기는 것도 바로 쓰기다. 인생에 길을 찾는 데는, 여행만 한 것이 없고, 정답을 구하는 길에는 수많은 계산의 과정이 필요하다. 차곡차곡 정답 노트를 만들지 않으면 쉽게 길을 잃는 것은 공부만이 아니다. 지금은 다 이해하지 못하더라도, 어느 순간 정답을 찾을 수 있는 기록을 만드는 일이 여행을 기록하는 일이다.

혼자 여행

혼자 여행하는 사람에게는, 쓴다는 행위 자체가 든든한 동행이 된다. 고단한 하루를 보내고 낯선 곳에서 홀로 밤을 보낼 때, 다사다난했던 하루를 나눌 사람이 없을 때, 글은 어떤 이야기든 털어놓을 수 있는 잘 들어주는 친구가 된다. 기차나 비행기를 오랫동안 기다려야 할 때도, 카페에 앉아 홀로 지나는 사람들을 구경할 때도, 꼭 오고 싶었던 장소에 앉아 순간을 영원처럼 기억하고 싶을 때도, 글은 말동무가 되어 준다. 아마 동행이 있었더라면, 온전히 듣지 못하고 지나칠지 모르는 마음의 소리를, 깊이 들여다볼 수 있게 돕는 것이 글이라는 동행이다. 지치지도, 짜증 내지도, 배고파하지도 않는 든든한 동행이 있다면, 마다할 이유가 없다. 꼭 책을 쓰는 것이 목표가 아니더라도, 혼자 다니는 사람일수록 기록하는 것이 좋다.

혼자 다녀온 여행은 기억을 보충해 줄 증인이 없다. 기분, 생각같이 왜곡되기 쉬운 것들을 정확하게 붙들어 놓을 수 있는 것도 당연히 글이고, 날씨나 그날의 차림, 사소하지만 기억하고 싶은 일들도 기록하지 않으면 쉽게 사라진다. 유일한 순간의 사본을 기억 속에만 저장하는 것은 너무도 안일한 태도다. 돌아서면 까먹는 나를 믿는 대신에, 나라면 기록으로 저장하는 쪽을 택하겠다.

우리는 왜 여행기를 쓰는가?

개인이 영향력을 발휘할 수 있는 다양한 미디어가 많아지면서, 개인적인 기록을 넘어서 여행 에세이나, 여행 정보의 형태로 기록하고 공유하는 사람이 많아졌다. 블로그부터 인스타그램, 유튜브까지 매체에 따라서 형태도 다양하다. 지금, 이 순간에도 많은 사람이 자신의 여행을 기록하기 위해서, 정보의 공유를 위해서 여행기를 쓰고 있다.

아는 사람만 아는 맛집

여행을 기록하는 것을 넘어서, 여행기로 써서 공유하는 이유는 또 다른 재미가 있어서다. 나는 오랫동안 블로그를 운영해오고 있었는데, 보는 사람이 많지 않아도 꾸준히 여행기를 올렸다. 여행기는 아는 사람만 아는 맛집 같은 것이라서, 앞으로 여행할 사람이나, 이미 여행한 사람들이 읽어준다. 같은 공간을 방문했다는 공통점 덕분에, 쉽게 소통할 수 있다. 당장 떠나야 하는 사람은 다급해져서 질문을 남기고, 다녀온 사람은 미처 몰랐던 것을 알려주기도 하면서, 쉽게 댓글을 쓴다. 아무리 가까운 사람이라 하더라도 '전주비빔밥'의 이름만 들어 본 사람과 이야기 하는 것과, 같은 식당, 같은 음식을 먹어 본 사람과 이야기하는 것은 차원이 다르다. 아는 사람끼리 이야기하는 재미에 꾸준히 여행을 기록해왔다.

재미 삼아 블로그에 저장했던 여행은 시간이 지날수록 가치가 더해진다. 잊혀져 가는 기억을 보조해주는 타임캡슐이 되어 주는 것은 물론이고, 그때는 당연했던 것들, (여권에 도장 찍는 재미가 사라지고, 보딩패스를 키오스크에서 셀프로 받아야 할 날이 올 줄은 몰랐다) 달라진 줄도 몰랐던 것을 과거의 기록에서 찾기도 한다. 가끔은 완전히 기억 속에서 사라진 순간을 되살려 주기도 한다. 내 여행 블로그를 가장 많이 본 사람은 단연코 나다.

첫 책을 쓸 때, 지난 글들을 모아서 책으로 내야겠다고 노트와 블로그를 둘러봤을 때는 여행기를 책으로 쓰는 것의 의미를 이해할 수 있었다. 일기장에 쓰여진 여행의 기록은 도통 알아먹기 어려운 개인적인 기록이었고, 정확한 사실 대부분이 빠져 있었다. 블로그는 생각보다 글의 분량이 많지 않았고, 개인적인 내용이나 감정은 빠져 있었다. 대부분 여행 정보와 맛집, 자랑할만한 사진이 채우고 있었다. 꼼꼼하게 여행기로 기록한 부분조차도 힘들게 찾아온 독자를 잃을까 두려워 호흡이 빠르고 깊이가 없었다. 분명히 쓸 때는 공들여서 현장감과 감정을 담는다고 생각했는데, 무의식적으로 블로그 조회 수를 신경 쓰고 있었다.

여행기를 책으로 쓴다는 것은 SNS에 공개 발행하는 것과 결이 많이 달라진다. 여행 블로그나 인스타그램에서도 좋은 사진과 실시간 여행 정보를 볼 수 있다. 살아있는 정보가 넘쳐나고, 좋은 문장이 넘치는 세상에서 군이 책으로 내야 하는지 고민이 될 수 있다. 글이라는 것이 이상하게도 매체의 특성을 탄다. 물론 재주가 좋아서 어디서든 쉽게 좋은 글을 써내는 사람이라면 상관없을 수 있으나 나는 그렇다. 같은 이야기도 일기장에 쓰는 글이 다르고, 블로그에 쓰는 글이 다르고, 책에 쓰는 글이 다르다. 의식하지 않아도 직관적으로 이 매체들의 차이를 인식하기 때문이다. 블로그는 글이 길고 속도감이 없으면, 읽히지 않는다. 때문에, 사람들이 필요로 하는 정보나, 현장감 있는 사진이 주가 된다. 최대한 개인적인 기분은 배제하고, 관광지를 다녀온 인증이 되기가 쉽다.

꼭 책으로 만들지 않아도 여행을 기록하거나 일지나 일기로 기록하는 사람은 많다. 이러한 개인적인 기록을 넘어서 여행기로, 여행책으로 내고 싶은 이유는 무엇일까?

익숙해서 보이지 않는 것들

우리는 우물안에 갇혀 있지는 않지만, 존재하는 대가로 장소에 고정되었다. 시간과 장소에 고정되어서 우물 안에 있는 것처럼 똑같은 하늘만 보고 살고, 일상은 단순하게 반복된다. 바람은 자유롭지만, 자유의 대가로 존재가 희미해졌다. 존재하면서 자유롭기를 원하는 이기적인 마음은 언제나 여행을 갈망한다. 비록 여행에서 얻은 답이 초라하고, 이유 없는 존재라는 것을 스스로 확인한다고 해도 언제나 자유로운 방랑을 꿈꾼다..

여행기를 쓰는 것은 여행 자체를 이해하는 것이기도 하지만, 여행에서 배운 새로운 시각으로 우리 삶을 다시 보는 것이다. 고작 며칠 여행을 다녀왔을 뿐인데, 집이 어딘지 낯설어 보일 때가 있다. 익숙해져서 보이지 않던 것들이 다시 낯설어지면서 보이게 되는 것인데, 여행기를 쓰는 것이 바로 이런 것이다. 익숙해져서, 재미없어져 버린 일상의 이유를 여행자의 눈으로 다시 확인하는 것, 우리가 이미 가진 것의 의미를 찾는 것이 여행기를 쓰는 이유기도 하다.

지금부터 당장 기록해야 하는 이유

나와 자주 여행을 다니는 친구가 있는데, 이야기를 해 보면 서로 다르게 기억하는 부분이 있다. 러시아나 인도처럼 다소 강렬한 여행지를 같이 다녔는데, 항상 절대 잊지 못한다며 수다를 떨고는 했다. 그러나 얼마 지나지 않아서, 그날이 어디였는지, 누구와 함께였는지는 다르게 기억하거나, 기억 못 하는 일이 다반사였다. 그럴 때는 내 블로그에 들어가 본다. 간단히 어설프게 남긴 기록인데도, 블로그를 보면 훨씬 쉽게 지난 여행을 기억해낼 수 있었다.

나는 코로나 이전에 4년 동안 장기 여행을 했었다. 긴 여행 기간 동안 여행을 쓰는 사람이 되고 싶다고 말했지만, 어떻게 쓸지 왜 써야 하는지, 생각하지 않고 그저 시간만 보냈다. 언젠가 책을 쓰고 싶은 기분이 들 때를 기다리면서, 여행의 기억은 조금씩 희미해지고 있었다. 4년이나 되는 자유시간이 있었고, 수많은 경험을 하면서도 아무것도 하지 않다가 덜컥 코로나가 덮쳐왔다. 끝날 것 같지 않은 내 여행은 그렇게 얼떨결에 끝나고 말았다. 그때야 정신이 들었다. 4년 동안 책을 쓰지 않았던 것이 몹시 후회됐지만, 한국에 돌아와서는 다시 일상으로 돌아와야 했고, 책을 쓸 시간은커녕 잠을 줄여가면서 일을 해야 했다. 지금 다시 그때로 돌아간다면 부담을 느끼지 않고, 차곡차곡 써나가고 싶다. 낯선 도시에서 하루를 마치고 돌아와 낯선 숙소에서 밤을 보내면서 그날을 써 내려가다 잠들고, 마음에 드는 카페에 앉아서 누구보다 더 여행자다운 하루를 보내면서 여행을 기록할 것이다. 그리고, 여행의 경험을 책으로 쓰고 싶은 이를 위해서, 나처럼 허망하게 시간을 허비하지 말라고 이 책을 쓰고 있다.

여행의 의미를 이해한다는 것

지난 여행 전까지 나는 여행의 의미를 몰랐다. 여행을 떠나면 홀가분해지면서 복잡해지는 마음의 이유를 알 수 없었다. 받아들이는 방법 이해하는 방법도 몰랐다. 심지어 어떻게 기록해야 하는지도 몰랐다. 그런데 어떻게든 책으로 여행기를 정리하면서 여행의 의미를 이해하게 되었다. 블로그나 SNS로 여행기를 쓰는 것이 그 순간을 생생하게 기록하는 것이라면, 책으로 쓰는 것은 여행 전체를 조망하면서 진지한 이야기든, 재밌는 이야기든, 하고 싶은 모든 이야기를 함께 풀어놓고 여행과 인생을 이해하게 되는 과정이다.

여행은 다시 태어나는 것과 같았다. 평생 오른쪽으로 걷다가, 오늘부터는 왼쪽으로 걸으면서 세상을 처음부터 다시 배우는 것이었다. 지나고 보니 여행에서 얻은 것이 참 많았다. 여행을 떠나보니 여행은 모험은 아니었다. 낯섦이었고, 삶의 축약본이었다. 그때는 몰랐지만, 한참 지나 비로소 이해하게 된 것들, 여행이 바꾼 나의 내면을 이제는 이해할 수 있을 것 같았다. 여행기를 책으로 내야 하는 이유는 바로 그런 것이다. 언제나 책을 쓰는 것은 독자보다 작가를 먼저 바꾼다. 시간을 돌려서 여행하던 과거의 나와 동행하는 것, 그때 얻은 답들을 비로소 이해하는 것이다.

여행을 책으로 만드는 연금술

책을 써야 하는 이유는 여러 가지가 있다. 나만 알고 있는 지식이나 이야기를 공유하기 위해서, 커리어의 확장을 위해서, 자서전이나 에세이처럼 작가의 이야기를 나누거나, 작가 자신을 위해서, 같은 여러 가지 다양한 이유로 책을 쓴다. 목적도 이유도 다르지만, 여행을 책으로 써야 하는 가장 중요한 이유는 작가 스스로를 위해서다.

시간이 갈수록 가치 있어지는 기념품

여행은 원하는 곳에서 원하는 행동을 하면서 시간을 보내는 일이다. 가장 적극적으로, 시간, 장소, 함께 할 사람, 할 일을 통제해서 원하는 세상에서 살기 위해 노력한다. 모든 것이 완벽하게 행복한 여행의(물론 현실은 여행에서 가장 많이 싸우게 되지만,) 순간을 기억하기 위해서 우리는 기념품을 사 온다. 그러나 아쉽게도 기념품들은 이내 다른 새 기념품들 사이에서 관심을 잃거나, 어디를 기념하려고 사 온 것인지 자체를 망각하기도 한다. 영원히 빛바래지 않고, 망각 속에 잊혀지지 않는 기념품이 있다면, 스스로 쓴 여행책이다. 행복하고 의미 있었던 여행의 순간을 책에 담아 침대 맡에 올려놓고, 언제나 쓰다듬으면서 기억하는 것이 가능하다.

책은 다른 기념품과 달리 시간이 지나도 선명하게 그날을 담고 있으며 시간이 지날수록 책에 담긴 추억은 더 소중해진다. 아주 오랜 세월이 지나면 그날 보지 못한 것을 책 속에서 찾게 되기도 한다. 책이 된 여행은 영원히 그날로 돌아갈 수 있는 문이 되고, 과거의 여행에 다른 이들을 초대할 수도 있는 힘을 가진다.

찬란한 순간만 가득한 자서전

가벼운 책 쓰기 수업 중에 자서전 쓰기가 많다. 평범하다고 생각했던 나의 인생을 돌아보기는 쉽지 않다. 자서전을 쓰는 일은 쓸쓸하고 텁텁하면서, 가슴에 바람이 부는 일이다. '언젠가 책을 써야지' 꿈을 꾸는 사람 중에 막연히 자서전을 쓰겠다고 마음을 먹는 이가 있다면, 인생의 깊고 무거운 질곡을 돌아보기 전에 가장 찬란하고 빛나던 여행에서 시작하면 좋겠다. 자서전처럼 썼다 지우기를 반복하면서, 말하기 망설여지는 깊은 삶의 무게 대신에, 밝고 에너지 넘치고, 행복한 순간을 먼저 책으로 쓰면 좋겠다. 쓰면 쓸수록 더 선명하게 빛나고, 더 아름다워지는 순간이라고 인생의 통찰이 없는 것이 아니고, 배움이 없는 것이 아니다. 인생의 희로애락을 거쳐 지금의 내가 되는 과정을 쓰는 것이 자서전이라면, 여행을 책으로 쓰는 것은 자서전에서의 가장 찬란한 순간 중 하나가될 것이다.

여행을 책으로 쓰는 것은, 놀랍게도 과거를 물질로 만들어 책상 위에 놓는 연금술이면서, 언제든지 그 순간으로 돌아갈 수 있는 시간의 문이고, 평생을 간직할 과거를 반짝이고 아름답게 만드는 세공술이다. 이 책을 읽는 모든 이가 여행을 아름답고 묵직한 물질로 만들어 생각날 때마다 쓰다듬을 수 있기를 바란다.

첫 책으로 여행기를 쓰면 좋은 이유

언젠가 작가가 될 것이라는 무모한 확신으로 나에게 친숙한 주제인 여행을 골라서 첫 책을 냈는데, 운이 좋았다. 사람마다 책으로 쓸 수 있는 여러 가지 주제를 가지고 있는데, 주제에 따라서 쓰기 쉬운 것도, 어려운 것도 있다. 처음 책을 쓰면서부터 평생 꼭 쓰고 싶었던 이야기를 꺼내서 주제로 삼으면 원하는 완성도를 내기 어려울 수도 있다. 한 번이라도 여행하지 않은 사람은 없기 때문에 여행 이야기라면 누구나 책으로 낼 수 있고, 자격이 필요한 것도 아니다.

여행책이 다른 주제보다 책으로 쓰기 쉬운 이유는 여행이라는 실질적인 사실에서 시작한다는 점이다. 시나 소설처럼 사실을 꾸며내지 않아도 되고, 문학적인 부담도 덜하다. 실용서처럼 정확하게 개념이나 용어를 정의하지 않아도 된다는 점에서 초보자가 다루기 쉬운 주제다. 장르적으로도 매우 자유로운데, 글을 쓰는 스타일에 따라서 여행의 사실적인 부분을 대폭 축소해서 철학적인 내용을 쓰거나, 전문성을 담아서 테마를 담은 여행기로 만들어도 된다. 어떤 여행기는 다큐멘터리처럼 사실만 기록해도 되고, 전문성을 살려서 인문학적인 내용을 담아도 되는 등 장르적 폭이 매우 넓다고 볼 수 있다.

목차 구성이 쉽다.

처음 책을 쓰기 시작하면, 책쓰기의 본격적인 시작인 목차를 쓰면서 벌써 당혹스러움을 느낀다. 평생을 집에서 살았다고 하더라도, 방 청소를 잘하거나 취향에 맞게 방을 꾸밀 수는 있지만, 설계도를 그리는 것은 당연히 어렵다. 그런데 첫 책에서부터 복잡한 추리소설의 설계도를 만들어야 한다면 할 수 있는 모든 시행착오를 거치고도 구조적 결함에 시달리게 된다. 어려운 소설 같은 장르가 아니라도, 수필이나 자서전, 실용서, 시, 소설 등 장르를 가리지 않고, 목차를 몇십 개나 만들어야 하는 것에 어려움을 느끼는 분들을 많이 만났다. 간신히 책에 쓸 내용을 정리해서 차례를 만들었더라도, 그것을 책의 맥락이나 내용에 맞는 순서로 더하고 빼고, 재조립하는 과정에서 책을 쓴다는 것의 어려움을 절실히 깨닫게 된다. 그런데, 목차를 힘들게 쓰지 않아도, 이미 틀이 정해져 있는 장르가 있다면, 바로 여행기다.

여행한 뒤에 쓰는 기행문, 대부분의 사람이 많이 쓰는 여행에세이는 목차의 개략적인 순서가 정해져 있다고 볼 수 있다. 이는 책을 써보지 않은 사람도 짐작이 가능하다. 여행의 동기, 준비, 출발, 여행 과정, 돌아와서의 감상이 시간 순서로 나열되고, 여행의 순서가 책의 큰 틀이 된다. 물론 여행에서 돌아온 시점에서 과거로 돌아가 여행을 시작하는 순간을 회상하는 방식의, 여러 가지 다른 방법도 있지만, 독자가 쉽게 여행기를 따라서 작가의 여행에 동행하기를 바란다면, 널뛰듯 이랬다저랬다 여행기를 쓸 수는 없다. 독자를 위해서라도 어느 정도 시간의 순서, 장소의 이동을 따라가면서 여행기를 쓰게 된다.

여행의 과정이 책을 구성하는 차례의 뼈대가 되니까. 앞뒤로 필요한 부분을 삽입하면 되는데, 여행의 준비나, 여행 이후 같은 이야기를 집어넣어서 책 전체의 완결성을 만들기도 좋다. 책을 써본 경험이 없는 사람이 여행기로 첫 책을 내면 좋은 가장 큰 이유다.

분량

첫 책을 쓰는 사람이 어려워하는 또 다른 것은 분량이다. 책 전체의 분량을 충분히 쓰는 것도, 한가지 소주제에 대해 쓰기도 쉽지 않다. 원고를 쓰기 시작하면, 생각보다 글이 단순해져서 당황하는 경우가 많다. 분명 말로는 두 시간도 할 수 있는데, 글로는 열 줄 남짓 쓰고 나면, 더 이상 쓸 말이 없어진다. 첫 책을 쓸 때, 평소에 글쓰기를 멈춘 적이 없다고 생각한 나도 그랬고, 많은 분들이 예상한 것보다 너무 짧아지는 분량에 당황한다.

이는 책이라는 매체의 특성 때문이다. 블로그는 보통 2000자 내외의 글이 많고, 더 길어지면, 독자가 이탈하는 경우가 많다. 개인적인 감정보다는 여행 정보나 여행 에피소드를 쓰고, 설명을 대신하는 사진의 역할도 매우 크다. 요즘 사람들은 대부분 블로그나 SNS 글쓰기에 익숙한 경우가 많아서 본능적으로 간결하면서 호흡이 빠르고, 정보성으로 글을 작성하는 것에 익숙하다.

책은 SNS와는 분명히 다르다. SNS 환경은 말보다 쉬운 사진과 영상으로 설명하라고 우리를 길들였지만, 책은 사진이 들어가더라도 글로 우리가 본 장면과 소리, 냄새와 기분까지를 잘 설명해야 한다. 보이는 것은 물론이고, 그때의 감정, 생각까지를 나만의 시각으로 담아내야 하는 것이 여행기다. SNS의 여행기들은 정보성이 짙고 간결한 대신에 여러 다른 사람의 SNS를 방문해도 비슷한 내용 비슷한 사진이 많다. 여행을 책으로 쓰는 것은 작가만의 고유한 시각과 색채를 담아야 하기때문에 같은 장소라도 완전히 다른 이야기가 가능하다. 그리고, 완전히 개인적인 이야기라야 매력적이다. 여행은 누구에게나 이야깃거리가 많은 보물 같은 경험이기도 하고, 책이라는 새로운 매체에서 글쓰기 연습하기 좋은 주제이기도 하다. 장면과 감상, 분석과 통찰 등 담고 싶은 모든 이야기를 다 담을 수 있는 틀이기 때문이다.

아무리 짧은 에피소드라도 분량이 더 필요하다면, 장소에 대한 묘사, 날씨, 사람, 먹거리 등 얼마든지 추가할 내용이 많다. 여행은 원하는 길이의 에피소드를 쓰는 연습을 하기에 좋다. 그래도 분량이 부족하면, 목적지에 가 보고 싶었던 이유, 가는 길, 사건이 일어난 이후 이야기 등 쓸 재료가 풍부하다. 다른 장르에 비해서 작가가 어디서부터 어디까지를 보여 줄 것인지 스스로 결정하고, 글의 분위기나 목적을 분명히 하기도 비교적 수월하다.

마감

글쓰기 일정 역시 초보 작가들이 어려워하는 일 중 하나다. 짧은 시간에 많은 내용의 글을 써내는 것은 당연히 쉬운 일이 아니다. 앞으로 원고를 써보면서 이해하겠지만, 스스로 정한 마감 안에 써내지 못하면 완결하지 못하는 경우가 많아진다. 천천히 꾸준히 쓸 수 있는 사람은 매우 소수이며, 그런 이들이 주위에 있다면, 매우 무서운 사람이므로 아끼고 조심해야 한다. 스스로를 보통의 범주에 들어가는 사람이라고 판단한다면, 천천히 꾸준히 보다는 '쇠뿔도 단김에'가 차라리 낫다. 여행의 기억은 매일 밤이 지날 때마다 멀어지고 현실감각이 떨어져 간다. 시간이 지날수록 사실은 헷갈리게 되므로 당연히 빨리 써야 하고, 일정이 넉넉하거나 장기 여행이라면 여행 중에 글을 많이 써 놓는 것도 방법이다.

인간이 느끼는 쾌감을 수치로 표현한 표를 본 적이 있다. 재미로 보는 간단한 표였는데, 게임이 5, 독서가 10, 합격이 20, 여행이 55였다. 여행보다 쾌감 수치가 높은 것은 고백에 성공했을 때 와 도박, 마약, 이 세 가지뿐이었다. 여행은 사람이 가질 수 있는 가장 높은 쾌감 중 하나다. 여행이 귀찮은 사람은 있을 수 있으나 설레지 않는 사람은 없다.

여행기를 쓸 때 가장 중요한 것은 여행의 흥분이 가시기 전에 빨리 쓰는 것이다. 여행의 흥분을 담으려면, 아직 내 안에 흥분이 기억과 감각으로 살아있어야 한다. 색이 바래서 흑백이 된 사진을 보면서, 저 빨간 꽃이 얼마나 아름답냐고 물으면, 공감할 수 있을 리 없는 것처럼, 내가 쓸 이야기를 생각만 해도 아직 설렐 때 쓰는 것이 여행기를 잘 쓰는 기본적인 방법이다. 여행의 흥분은 작가에게 글을 쓸 수 있는 원동력이 되고, 초반을 빨리 써놓으면, 얼마 남지 않은 나머지 분량을 채우기도 훨씬 쉽고, 포기하기에는 아까워진다. 우리는 생각보다 빨리 잊고, 일상은 여행으로 얻은 에너지를 빠르게 지워나간다. 망각의 속도와 일상이 잠식하는 속도 보다 빨리 원고를 마감해야 좋은 글이 나오고, 글 쓰는 것이 힘들지 않다. 첫 책을 쓰는 작가에게 여행의 기억만큼 강력한 동기부여가 되는 것은 없다.

여행작가란?

여행작가의 수익

여행작가는 '남들 일할 때 남의 돈으로 놀러 다닌다'라는 전설 같은 존재다. 예전에는 여행작가가 독보적이었는데, 요즘에는 여행 유튜버들에 치여서 예전만큼은 인기 있지는 않다. 여행작가나 여행 유튜버처럼 좋아하는 일을 하면서 먹고 사는 꿈을 꿨다면, 얼른 여기서 책을 덮고 나에게 고마워해야 한다. 이 책을 사는 비용 정도의 손해로 끝난 것을 다행으로 여기면서 책쓰기를 그만두고 열심히 살면 된다. '좋아하는 일로 먹고살게 되는 순간 더 이상 그 일이 좋지 않더라.' 같은 말은 아니다.

물론 이 책을 쓰는 시점에서 나는, 이 책을 읽는 이 중에 누구라도 놀고먹으면서 돈도 많이 버는 전설적인 여행작가가 되기를 간절히 기도한다. 그러나 실제 여행작가는 좋아하는 여행도 잃고

돈도 잃게 되는 쉽지 않은 일이다. 이미 예상했겠지만, 여행작가로 생계를 해결할 수 있는 사람은 매우 소수이고, 돈을 못 버는데도 생각보다 매우 바쁘다.

이상하고 외로운 사명감

나는 오랫동안 여행을 블로그로 기록해 오면서, 숙소에 도착하면 어지르기 전에 사진을 찍고, 짧은 스케치 영상도 찍었다. 좋은 숙소에 가면 좋아서, 저렴한 숙소에 가면 저렴해서, 기록을 남기지 않을 수 없었다. 오랜만에 휴일을 가질 때도, 밤새 버스나 기차로 이동한 날에도 편하게 체크인을 하고 침대에 뛰어들어 본 적이 없었다.

한번, 여행작가가 되어야겠다고 마음을 먹으면, 남들이 여행작가로 불러주건, 불러주지 않건 간에, 이상한 사명감 같은 것이 생긴다. '좋은 곳을 소개해야지', '사진으로 남겨야지', '한 군데라도 더 돌아봐야지', '오늘은 특별한 이벤트가 없어서 돌아가기 아쉽군', 같은 아무도 시키지 않은 쓸데없는 직업정신이 생긴다. 여행이 휴식이 되기는 그르게 된다.

그럼에도,

낯선 곳에서 서 있을 때,

모든 것을 처음부터 새로 시작해야 하는 공항이나 기차역에서,

한 번도 가 본 적 없는 목적지가 적힌 버스만 보고도 반가워 달려갈 때,

살아있다고 느낀다면,

그러면, 여행작가로 살아도 된다. 여행작가는 누구 다른 사람이 주는 이름이 아니다. 끊임없이 여행하고 쓰는 사람의 것이다.

아쉬운 것은 또 있다. 분명 내가 아는 여행작가들은 남의 돈으로 놀고먹는 사람이었는데, 내 돈으로 놀고먹다가 다시 돈 벌러 가야 하는 간헐적 여행작가가 된다. 남의 돈으로 놀고먹는 유명한 여행작가들은 남의 돈을 잘 벌어주는 글 잘 쓰고, 책도 잘 팔고, 인기도 있는 작가다. 얼마 전에 여행 유튜버를 하려다 돈만 쓰고 실패한 사람들이 많다는 기사를 본 적이 있는데, 여행작가들도 결코 다르지 않다. 다른 점이 있다면 여행 유튜버보다 더 성공하기 힘들다는 점 정도다. 반대로 생각하면 여행작가는 유리한 점도 있다. 영상을 안 찍어도 되고, 여행 한 번 안 다녀본 사람은 없으니, 이미 다녀온 여행을 써도 된다는 점이다. 과거의 여행을 쓰면 돈이 안 든다.

여행작가의 사무실

여행책을 써야겠다고 계획하고, 여행을 해 보면 알겠지만, 여행작가라고 스스로 생각하면, 여행의 모든 순간, 모든 장소가 사무

실이 된다. 하루쯤 책 쓰기는 잊고, 휴식을 취하고 있으면, '여행의 우연'은 작가를 찾아 걸어들어와 에피소드를 만들어 준다. '여행의 우연'은 업무시간 따위를 알지 못한다. 만약 테마를 가지고 여행기를 쓰기라도 하면, 여행은 출장이 된다. 방콕의 맛집 탐방만 한다고 해도 얼마나 바쁠지는 상상만으로도 충분히 이해가 될 것이다. 호텔의 컨시어지부터, 택시기사, 버스 운전사, 혼자 걷는 사람, 좌판에서 과일을 파는 사람, 모두에게 말을 먼저 걸게 되고, 여행을 계획적으로 하든, 즉흥적으로 하든 상관없이 집착적으로 기록하는 사람이 될 것이다.

이제 사진은 더 이상 취미가 아니고 움직이지 않는 다큐멘터리가 되어야 한다. 여행작가는 유명하거나, 유명하지 않거나, 놀고 먹지 않는다. 혹여 남의 돈으로 여행이라도 하게 된다면, 회사원들보다 먼저 일어나서, 길 위로 출근해야 한다. 가능한 한 많은 곳을 가고 많은 사람을 만나면서 여행이라는 임무를 수행하게 된다. 육체노동과 정신노동을 둘 다 힘들게 하고 숙소에 돌아와서도 기절할 것 같은 몸으로 그날의 기록을 정리해야만 한다. 놀고먹는 것은 내 돈으로 하는 것이 답이다.

여행을 끝마치고 돌아와도 작가로 한 여행은 끝나지 않는다. 동행한 사람들이 여행 사진을 정리하면서 기념품을 하나씩 꺼내 보고 있을 때, 작가는 일상의 남는 모든 시간을 투자해서 원고 쓰기 시작해야 한다. 두세 달 동안 여행을 곱씹고, 사진을 계속 돌려보다 보면, 제발 이 여행이 끝났으면 좋겠다는 생각이 자연스럽게 든다. 남들이 다음 휴가를 계획할 때쯤 책이 나오면 매우 부지런했다고 스스로 자축해도 된다. 그러나 다음 휴가에 동행하자니, 또다시 기록하고 원고를 쓰고 책으로 만드는 과정을 반복해야 한다고 생각하면 다시 떠날 용기가 쉽게 나지는 않는다. 책이 팔리든, 팔리지 않든, 유명해지든, 그렇지 않든 간에 여행이 부담으로 다가온다면, 여행작가가 되었다고 스스로 생각해도 된다.

여행작가의 좋은 점

여행작가의 장점이 없는 것은 아니다. 여행 동안 무한하게 긍정적으로 변하고, 같은 하루도 다른 사람들보다 길게 쓰게 된다. 여행지에서 사기를 당하거나 길을 잃으면, 이전에는 여행 기분을 망쳤다면서 짜증을 낼 일도, 책에 쓸 이야기가 생겼다면서, 좋아하게 된다. 사기당한 금액이 크면 클수록, 책을 안 쓸 수가 없게 되었다면서, 오히려 사명감을 가지게 되는 이상한 일이 생긴다. 길을 잃으면 탐험이 되었다면서, 어떤 일이 생길지 두근거리는 이상한 사람이 여행작가다.

여행의 시간도 다르게 흐른다. 예전에는 기차역이나 버스정류장처럼 의미 없이 기다려야 하는 시간이 지루했다면, 이제는 시간을 멈춰서 한명 한명 자세히 관찰하기도 하고, 오랜 시간 이동해야 하는 기차 안과 비행기 안에서도 분주하다. 기록하랴, 운명과 삶을 고민하랴, 조용히 분주한 시간을 보내고 있으면, 금세 도착해버리고 만다. 일출을 봐야 하는 명소를 놓칠 수 없으니 여행의 하루는 새벽같이 시작되고, 일몰이나 야경도 빼놓을 수 없어서 해가 지도록 이어진다.

온 우주가 무명 여행작가의 기운을 알아차리기라도 하는지 오랜만에 늦잠이라도 자는 날이면, 쓸거리가 없을까 봐 아침잠을 방해하는 일도 쉽게 생긴다. (실제로 이전보다 바삐 다녀서인지, 주변 사람들과 적극적으로 의사소통하는 노력을 기울여서인지 하루라도 쉬고 있으면, 누군가 찾아오거나 하는 일이 생기면서 하루도 쉬기가 쉽지 않았다) 이전의 여행이 솜사탕처럼 달아서 손만 닿아도 녹고, 혀가 맛을 보기도 전에 입술에서도 녹아버리는 안타까운 달콤한 시간이었다면, 여행작가의 여행은 처음에는 달콤했지만, 단물이 다 빠져서 뱉고 싶은데도 씹고 또 씹고 가끔은 꺼내서 늘여서 놀다가, 풍선도 불고, 소리를 내고, 이제 턱이 아파와도 뱉을 수 없는 껌처럼 다양한 방법으로 계속 곱씹어야 한다.

순간을 영원으로 만드는 사람

여행 유튜브 영상이 매우 인기가 있어서, 지루한 책이 과연 매력적일까 싶지만, 영상으로 아무리 자세히 기록한 순간이라 하더라도, 글처럼 자세히 전달할 수는 없다. 글은 카메라처럼 앵글도 없고, 화각도 없다. 작가가 원하기만 한다면, 카메라 프레임 밖의 다른 이야기들과 글 안에서는 누군지 이름조차 잊었던 사람이 아직도 선명하게 말을 걸고, 나조차 잊었던 생각들이 여행의 순간을 영원하게 만들어 준다.

여행작가는 순간을 영원으로 만드는 사람이다. 내가 기록한 순간은 나의 가장 달콤한 순간이지만 독자의 가장 달콤한 순간을 기억하게 만든다. 오늘에 찌든 사람에게 앞으로 다가올 달콤한 순간이 기다리고 있다고 말해준다. 다양한 글을 쓰는 여행작가는 많지만, 그 사람이 어떤 이야기를 쓰든 어디를 여행했든, 순간을 영원으로 만드는 것은 다르지 않다.

시키는대로 책쓰기 3

여행작가의 기록법
여행책 쓰기

[자가출판
   이해하기]

[여행책 자가출판
하는 법]

누구나 여행작가가 될 수 있나?

그렇다. 누구나 여행작가가 될 수 있다.

여행에 대한 책을 쓰면 여행작가가 된다. 여행 유튜버는 누구나 될 수 있다고 생각하지만, 여행작가는 스스로 될 수 없다고 생각하는 사람이 많다. 핸드폰 한 대만 있으면 누구나 개인 방송을

할 수 있는 시대이다. 여행작가도 역시 컴퓨터만 사용할 수 있으면 누구나 여행작가가 될 수 있다. 우리도 모르게 유명한 사람만 작가로 인정해준다고 생각하는 경향이 있는데 그 때문에 '나도 과연 여행작가가 될 수 있을까'라는 두려움을 낳는다. 화가나 음악가는 유명하지 않아도 예술가, 작가로 인정하지만 유독 작가만은 다르게 생각하는 경향이 심하다. 아무래도 결과물을 만들기까지의 노력과 전문가적 스킬을 가졌기 때문이 아닌가 싶다.

작가라는 직업군에도 같은 기준을 적용해보면 사실은 명확해진다. 작품을 내기까지 얼마나 노력을 기울였느냐, 글을 작가적인 마음으로 얼마나 꼼꼼히 살폈느냐를 생각해보면 된다. 자신이 쓴 책에 스스로 떳떳한 사람이라면 작가라고 할만하다. 작가라는 이름은 누가 붙여주거나, 불러줘서라기보다는 스스로 만들어 가는 이름에 가깝다고 적어도 나는 생각한다.

절박하게 꼭 써야 하는 이야기가 있어서, 참아도 결국 터지고 마는 재채기처럼, 작품으로 발표하든 서랍에 넣어두든 기어코 써야 시원한 사람이 작가다. 끊임없이 자신의 세계를 만들고 수다스럽게 그 세상 이야기를 하는 사람, 그들이 작가다. 유명하냐, 무명이냐 차이만 있을 뿐, 여행책을 쓰면 여행작가다. 더군다나 유명하다고 꼭 좋은 책을 내는 것도 아니고, 무명작가의 책이 꼭 별로인 것도 아니다.

방송사 오디션과 등단

예전에는 작가라는 공인을 받기 위해서 등단하거나, 신춘문예에 도전하는 방법을 찾았지만, 주된 이유는 책을 출간하는 비용 때문이었다. 예전에는 책을 내는 비용이 개인이 부담하기 어려운 큰 비용이었기 때문에, 실력이 있어야 출판사의 투자를 받아서 책을 내거나 등단할 수 있었다. 예전부터 정치인이나 부자들은 자비로 책을 냈고, 아직도 정치인들은 출판기념회를 통해 후원금을 모은다. 전문가들은 이력을 위해서 자비출판, 기획출판을 가리지 않고 책을 낸다.

그런데 보통사람이 책을 쓰는 꿈을 이루기 위해서, 오히려 더 많은 노력(표지 디자인을 배우고, 내지 편집 등의 모든 과정을 배우는데 시간을 투자한다.)을 기울여서 책을 내면서 부끄러워하는 경우가 많다. 책 한 권을 완성하는 일은 쉬운 일이 아니고, 책은 성스러운 어떤 영역도 아니다. 필요한 사람이 접근하는 전통적인 매체일 뿐이다. 이제 시대가 달라졌고, 방법이 달라져서 우리에게도 기회가 온 것뿐이다. 부끄러워할 것은 더 많은 노력을 기울이지 못했음을 반성하는 것 뿐이다. 온 열정과 노력을 기울여 자신의 세계를 담은 책을 쓰고 마음껏 자랑스러워했으면 좋겠다.

요즘은 유튜버들이 인기를 얻으면 오히려 방송사들이 모셔가는 시대다. 이제는 누구나 유튜버가 될 수 있고, 성공하면 공중파

방송에서 연예인처럼 예능프로그램에서 활동하는 모습도 흔하다. 유명 유튜버가 된다면 연예인이 되는 길도 수월해진 것이다. 예전에는 연예인들도 오디션을 봐서 뽑았던 것을 생각하면, 등단의 높은 벽을 넘어야 했던 작가들이나, 연예인이나 다를 바가 없었다. 이제는 유튜버의 인기가 높아지면서 보고 싶은 연예인을 선택하는 결정권이 대중의 손에 넘어가게 되었다. 어떻게 보면 유튜브라는 플랫폼을 통해서 누구나 연예인이 될 수 있는 기회가 생긴 것으로도 볼 수 있다.

자가출판 플랫폼을 이용해서 작가가 되는 것도 매우 비슷하다. 유튜버보다 대중적 인기가 적다는 사실을 제외하면, 작가도 스스로 작가로 활동하고 다방면으로 활동하면서 성장하는 것이 충분히 가능하다. 공모전을 통과하거나 등단하거나 하면 자신을 알리기에 더 유리해지겠지만, 꼭 필요한 조건은 아니다.

유튜브와 자가출판 플랫폼

자가출판 작가와 유튜버는 정말 비슷하다. 유튜버도 스스로 출연하고, 영상을 편집하고, 업로드하고, 홍보하는 모든 과정을 혼자 하는 경우가 많다. 유튜브라는 플랫폼이 있으므로 가능한데, 스스로 책을 내는 작가들을 위해서도 여러 가지 플랫폼이 존재한다. 전자책 플랫폼으로 <유페이퍼>가 있고, 종이책은 POD 출판 (Published On Demand)플랫폼이 있다. POD 출판은 플랫폼이 파일 형식으로 책을 보관하고 있다가, 주문이 들어오면 주문량만큼만 인쇄해서 판매하는 방식이다. 주문받은 분량만 인쇄하기 때문에, 작가와 플랫폼 모두 재고나 인쇄비 부담이 사라진다. 작가 입장에서는 출판사의 선택을 받거나, 등단하지 않아도 종이책이나 전자책으로 책을 출간할 수 있고, 온라인 서점에서 판매할 수도 있다. 자가출판 플랫폼은 개인이 해결하기 어려운 온라인 서점 입점과 배송도 대신에 해준다. 대표적인 POD 출판 플랫폼으로는 <부크크>와 교보문고의 <퍼플>이 있다. 출판 플랫폼을 이용해서 작가가 책을 쓰고, 디자인하고, 홍보하는 전 과정을 스스로 하는 것을 자가출판이라고 한다.

유튜브에서 크리에이터들이 영상을 만들어서 무료로 유튜브에 업로드 하면 유튜브는 광고나 수수료를 통해서 수익을 얻는다. 자가출판 플랫폼들도 작가가 책을 만들어서 업로드하는 과정까지는 비용이 들지 않는다. 작가들의 책을 유통하거나 인쇄해주고 판매금액 작가와 나눠 가지면서 수익을 얻는 구조다. 다른 영역의 플랫폼들은 대형화 독점화 되면서, 플랫폼의 이익이 과도하게 커진 측면이 있지만, 출판 플랫폼들은 아직까지는 무명작가들의 조력자에 가깝다. 출판 플랫폼들도 충분히 어려운 시절을 무명작가들과 함께 보내왔다고 해도 과언이 아니다. 자가출판 플랫폼 덕분에 무명작가들도 책을 내는 비용이 들지 않는 구조가 되면서, 누구나 책을 쉽게 낼 수 있는 기회가 생겼다.

스스로 책을 만드는 것이 어렵나?

20년 전쯤만 하더라도 영상편집은 관련 분야에서 가장 고급기술을 가진 고급인력이었다. 영상편집자는 좋은 연봉과 좋은 대우를 받았고, 일반인들은 포토샵도 잘하지 못하던 그때, 영상편집자는 감히 넘보기 힘든 전문가의 전문가였다. 그런데, 유튜버들이 인기를 끌면서 이제는 국민의 절반 이상이 영상편집을 할 줄 알고, 영상편집을 전혀 모르더라도 몇 분이면 뚝딱 편집할 수 있는 간편한 앱이나 플랫폼들이 많아졌다. 이제 간단한 유튜브 영상은 누구나 만들 수 있다. 그렇지만 성공한 유튜버가 되고 싶다면 가벼운 촬영방법 정도는 익혀야 하고, 영상편집 프로그램 하나 정도는 배울 각오가 되어야 한다. 거기에 더해서 유튜브 앱 사용법이라든지, 유튜브 검색 알고리즘이라던지, 사람들에게 인기 있는 영상의 트랜드들을 알아간다면, 성공하는 유튜버가 될 기회가 더 많아진다.

스스로 책을 만드는 방법도 거의 똑같다. 〈한글〉 같은 문서편집 프로그램을 이용해서 책을 편집하면 되고, 디자인 플랫폼

<미리캔버스> 같은 플랫폼을 이용해서 표지를 디자인하면 된다. 첫 책을 내는 작가들을 위해서 각 플랫폼에서도 탬플릿을 제공하기 때문에 만드는 방법 자체는 어렵지 않지만, 완성도 있는 책을 만들고 싶다면 책의 구조나, 표지 디자인, 책을 홍보하는 법 등을 하나하나 적극적으로 배워나가야 한다. 책을 만드는 법은 전혀 어렵지 않다. 어려운 것은 책을 만드는 방법보다는 꾸준히 하는 것, 포기하지 않는 것, 시간 안에 마무리하는 것이다.

자가출판, 전자출판, POD

작가가 스스로 책을 출판할 수 있는 방법은 여러 가지가 있다. 1인 출판사를 차려서 책을 직접 낼 수도 있고, 출판사에 비용을 내고 자비출판을 하기도 한다. 출판사를 직접 운영하거나, 지비출판을 하는 것은 비용이나 시간 노력이 많이 드는 일이다. 유튜브로 수익을 얻기도 전에 천만 원짜리 카메라를 사거나, 사업자등록을 먼저 하는 것과 같다. 이 책에서 다루려고 하는 여행책 내는 방법은 개인이 따로 비용을 들이지 않고, 열정과 꿈과 노력만 가지고 책을 만들 수 있는 방법이다. 책을 사람들이 사랑하게 된 가장 근본적인 이유가 바로 열정과 노력과 꿈을 읽을 수 있었기 때문이었으니까.

자가출판

자가출판은 앞서 이야기했다시피 작가가 1인 유튜버처럼 책을 만드는 전 과정을 스스로 하는 것을 말한다. 많은 사람이 독립출판과 헷갈려 하지만 독립출판은 규모가 작을 뿐, 작가와 출판사와 여러 분야의 작업자와 협업으로 이뤄지는 경우가 더 많다. 자가출판이 가능해진 것은 출판 플랫폼 덕분이다. 출판 플랫폼은 책들의 유튜브라고 생각하면 된다. 유튜브에서 영상을 올리는 공간만을 제공하는 것이 아니고, 더 좋은 영상을 만드는 팁이나 영상을 만들 때 쓰는 음악을 제공하면서 유튜버들이 더욱 활발하게 영상을 만들 수 있게 돕는데, 출판 플랫폼도 거의 비슷한 역할을 한다. 책 등록과 판매에 필요한 고유번호인 ISBN의 발급을 대행해주거나, 표지 디자인, 내지 편집 디자인의 템플릿을 제공하면서, 책 만들기에 익숙하지 않은 작가들이 책을 쉽게 만들 수 있도록 돕는다. 출판 플랫폼은 많은 사람이 더 쉽게 책을 만들 수 있도록 다양한 지원을 하면서, 작가들의 책을 등록하고 유통해준다.

자가출판의 방법에는 전자책으로 형식의 전자출판, 종이책으로 출간할 수 있는 POD 출판이 있다. 전자책 출간의 대표 플랫폼은 <유페이퍼>를 많이 사용하고, 종이책 출간은 POD플랫폼인 <부크크>와 교보문고의 <퍼플>을 많이 이용한다. 전자책으로 개인이 책을 출간할 수 있다는 사실은 많이 알려졌지만, 종이책으로도 자가출판을 할 수 있다는 사실은 아직도 모르는 사람이 많다.

종이책 자가출판 플랫폼

POD 출판은 앞서 설명했듯이, 책을 한 권씩 인쇄할 수 있는 인쇄 기술이다. Publish on Demand의 약자로 선주문 후 인쇄 방식이라고 생각하면 된다. 일반적으로 출판사에서 책을 미리 인쇄해서 재고를 확보한 뒤에 판매를 시작하는 것과 반대 방식이다. 책을 주문하는 양만큼만 인쇄하기 때문에 작가나 출판사가 제작비와 재고에 대한 부담이 없다. 대신에 책을 주문해서 받는 데까지 최소 일주일에서부터 2주까지 걸리기도 한다. 이를 보완하기 위해 자가출판 플랫폼에서도 미리 몇 권 단위를 선결제하기도 하고, 구독형 프로그램을 통해서 주문에서부터 배송에 걸리는 시간을 일반도서와 비슷하게 할 수 있는 다양한 서비스를 내놓고 있다. POD 출판의 장점은 소량인쇄다. 상업성이 떨어져서 기존 상업 출판에서 출간하기 어려운 책이나, 이미 절판되었으나 적은 수요만 존재하는 책도 앞으로는 POD로 다양하게 출간될 수 있다. 지금까지 책을 내고 싶었으나 비용 때문에 출간이 어려웠던 사람들도 주로 POD 플랫폼을 이용해서 비용 없이 책을 내고 있다. 최근에 책을 내고 싶어 하는 사람들이 많아지면서, 자가출판 플랫폼의 시장성이 확대

되고 있다. 코로나 이후 상황이 어려워진 출판시장에서도 꾸준히 성장하고 있는 부분이 바로 POD 출판 부분이다. 최근에는 대표 POD 출판 플랫폼이라고 할 수 있는 교보의 <퍼플>, <부크크>가 사이트를 리뉴얼 하면서 커지고 있는 자가출판 시장에서 더욱 적극적으로 대응하려는 행보를 보이고 있다.

전자출판 플랫폼

전자출판은 전자책을 말한다. 전자책의 경우는 예전부터 자가출판의 형태로 개인이 출간하는 수단이었다. 전자출판 시장도 꾸준히 성장하고는 있지만, 아직도 전체 책 판매량에 비하면 일부에 지나지 않는다. 대부분의 자가출판 작가들이 PDF 파일 형식으로 전자책을 출간하면서, POD 출판 방식으로 종이책을 내는 것보다는 쉽게 책을 등록할 수 있었다. (앞으로도 PDF 파일 양식으로 책을 낼 수 있을지는 알 수 없다. 전자책 표준인 EPUB 파일보다 독자의 편의성이 떨어지기 때문이다) 다만 전자책 시장이 전체 책 시장 규모의 5% 정도밖에 되지 않기 때문에 책을 판매하기가 어렵고, POD 출판으로 개인도 얼마든지 종이책을 낼 수 있는 만큼 종이책의 보조적인 방법으로 출간하는 것을 추천한다. 전자책 출판 플랫폼으로는 <유페이퍼>가 독보적이다.

길게 설명했지만, 출판 플랫폼이 등장하면서, 전자책이든, 종이
책이든 조금의 관심만 기울인다면 얼마든지 개인이 책을 출간하고,
판매하는 것이 가능하게 되었다. 오랜 시간이 걸려서 보통사람에게
도 기회가 주어졌다. 그 기회에 문에 들어설 수 있는 방법은 오로
지 꾸준히 쓰고 완성하는 것뿐이다.

시키는대로 책쓰기 3

여행작가의 기록법
여행책 쓰기

[여행책 쓰기
프로세스]

여행책 쓰기
프로세스

이 책에서는 여행기 원고를 쓰는 방법을 중점적으로 설명하지만, 원고만으로 책을 낼 수는 없다. 자가출판으로 책을 만드는 방법은 어렵지 않지만, 전체적인 과정을 이해해야 스스로 책을 낼 수 있을지가 가늠되기 때문에 자가출판으로 책을 내는 과정 전반을 간단하게만 설명하려고 한다. 자가출판은 말 그대로 작가 스스로 출판에 필요한 모든 과정을 플랫폼을 이용해서 진행하는 것이다. 비용이 전혀 들지 않는 것이 장점이고, 책을 심사하거나, 자격을 테스트하는 사람도 없다. 책을 완성하냐 못하느냐는 전적으로 자신에게 달렸다. 다시 한번 강조하지만, 책으로 만드는 과정은 전혀 어렵지 않다. 직접 운영하고 있는 온라인 강의 <90일 작가되기> 클래스에서도 컴퓨터 사용을 어려워하는 완전한 초보자도 문제없이 책을 완성했다.

　책을 만드는 방법은 이미 시키는대로 책쓰기 플래너 시리즈 『60일 종이책 초고완성』,『90일 종이책 작가되기』 두 권에 자세히 설명되어 있기도 하고, 책을 만드는 방법을 책 한 권으로 다 설명하기에는 방대하다. 우선 원고를 먼저 쓰더라도 책을 쓸 때 어떤 과정을 거쳐야 하는지를 이해하고 계획을 세우면 좋겠다.

사용 프로그램

　초고를 쓸 때는 편리한 아무 프로그램이나 사용해도 되지만, 이후 편집이나 맞춤법 검사를 위해서는 문서 편집 프로그램 <한글>을 이용하는 것이 유리하다. 쉽게 글자 수를 확인할 수 있고 내지 편집에 <한글>을 사용하는 것이 쉽고 완성도 있는 방법이기 때문이다.

　<한글>에서 초고를 작성할 때는 A4, 글씨 크기 10pt를 기준으로 작성하면 되지만, 필요에 따라 편리하게 조절해도 된다. 책 내지 편집할 때는 서체와 글씨 크기를 <부크크> 양식에 적용하면 되기 때문이다. 품을 줄이고 싶으면, 처음부터 <부크크>에서 편집 양식을 다운로드 받아서 초고부터 내지 편집 양식에 직접 작성해

도 된다.

표지는 디자인 플랫폼 <미리캔버스>를 이용해서 완성하고, 책 출판은 POD출판 플랫폼 <부크크>를 이용하는 것을 기본으로 생각하면 된다.

<부크크> 내지편집 양식 다운로드
https://bookk.co.kr/author/make/paperBook
디자인 플랫폼 <미리캔버스>
https://www.miricanvas.com/

POD 출판 플랫폼에서 여행책(종이책) 출간 프로세스

여행 전	여행 에세이의 사전기획(컨셉, 여행주제, 책의 방향 등)
여행 중	여행 여행 사실 기록 (여행경로, 일정, 관련 자료 등) 여행 중 글쓰기 (블로그 등 발행형 포스팅)
여행이후	마감일 정하기 (초고완성일, 등록 마감일, 구체적으로 정하기) -기획2(사전 기획의 내용을 여행 후 수정하고, 책의 컨셉, 주제 형식, 판형과 분량을 구체적으로 구상하는 것) -목차 쓰기 40개 항목 이상 (일반 단행본 도서 크기 200쪽 기준) -원고 쓰기(1~2달) -퇴고(1~2주) -책 내지 편집(2주)-책 표지 디자인(1주) - 출판 플랫폼에 등록(1주일) -플랫폼 승인(/반려) - 출간 - 온라인 서점 자동 입점 (2주 내외)

[여행 전]

사전 기획

책에서 기획이라는 것은, 같은 이야기를 어떻게 매력적으로 포장할까의 문제다. 같은 여행이라도 사람들이 궁금해할 이야기로 만들기 위해서 책의 형태 및 디자인부터, 책의 구성을 더 효과적으로 재조립하는 것이다. 여행 전에는 구체적으로 책을 기획하는 것보다는, 책의 컨셉과 주제를 간단하게 구상해보는 것으로 생각하면 된다. 책의 주제에 맞는 여행을 하기 위해서다. 이미 여행을 다녀온 뒤라면 어쩔 수 없지만, 여행을 계획 중이라면, 책에 쓰고 싶은 우선순위에 따라 방문한 여행지를 조정할 수 있다. 평범한 패키지여행을 다녀온 뒤에 '맛집 기행'을 쓸 수는 없기 때문이다.

사전 기획은 구체적이지는 않아도, 어떤 종류의 여행책을 어떤 분량으로 어떻게 쓸 것인지를 고민하는 기간이다. 팔릴 책을 쓰고 싶다면, 시장에 어떤 종류의 여행기들이 잘 팔리는지 사전 조사를 해 볼 수도 있고, 인문학적 테마 여행기를 쓰고 싶다면 여행 일정도 조정해서 구체적인 방문 루트를 만들 수도 있다.

그래서, 구체적이지는 않더라도, 아래의 질문에 대답해보는 시간을 가지고, 필요한 자료조사나 일정을 수정하는 과정이 필요하다.

여행 전 사전 기획

여행 전 사전 기획	
어떤 여행기로 쓸 것인가?	여행 사진 에세이, 여행 에세이, 테마기행, 문화기행 등등
어떤 테마로 여행할 것인가, 어떤 독자층을 위해 쓸 것인가,	여행지 선정, 여행 사진에 대한 계획 등
책의 무게와 분량	가볍고, 읽기 쉽게, 무겁고, 진지하게
필요한 사전 조사는 무엇인가?	읽어야 할 도서 및 책에 사용할 사진 등을 미리 계획
꼭 방문해야 할 장소나, 수정해야 할 여행 일정이 있는가?	꼭 필요한 방문지 체크

[여행 중]

기록

여행책을 쓸 예정이라면 여행 중에 중요한 것은 기록이다. 글은 말과 달라서 휘발되지 않는다. 한번 적은 문장은 독자와 만나는 한 언제나 작가의 책임으로 남는다. 따라서 생각보다 정확한 기록이 필요한 경우가 많다. 여행 중에는 모든 일정과 여행 중 있었던 일들을 모두 기억할 것으로 생각하지만, 며칠만 지나도 일정의 순서가 헷갈리기도 하고, 사소한 사실들은 쉽게 잊는다. 그래서, 꼼꼼한 기록을 하는 것이 중요하다. 여행 중에 기록해야 할 것들의 종류는 다양하다. 일정이나 비용처럼 여정에 관련된 기록부터, 일어났던 일이나 다양한 감정들을 꼼꼼히 기록해두는 것이 중요하다. 이 책에서는 어떤 종류의 기록을 어떻게 준비해야 하는지, 여행 중에는 어떻게 기록하는 것이 효과적인지도 소개하려고 한다.

여행작가는 다른 장르의 작가들과는 다르게 글로만 표현하는 사람은 아니다. 작가의 여행을 설명할 수 있는 매우 정확하고 직접적인 증거가 있는데도, 글로만 설명하려는 것은 비효율적인 일이다. 독자도 사진을 보면서 상상이 확장되고, 여행의 장면 속으로 들어가기도 훨씬 쉬워진다.

직접 사진을 많이 찍어두지 않고, 필요한 사진을 나중에 구하려면, 저작권이나 해상도 문제 등 신경 쓸 것도 많아진다. 일반적인 도시의 전경 사진 같은 것은 쉽게 구할 수 있지만, 보여주고 싶은 장면 사진을 구할 수 있다는 보장도 없다. 작가가 여행했던 특별한 상황이나 날씨는 스스로 사진으로 기록하지 않으면 영영 사라지는 풍경이 된다. 좋은 사진 한 장은 글을 더욱 현장감 있게 해주고, 어떤 글보다도 쉽게 여행을 설명할 수 있다. 사진작가처럼 전문적인 사진이 아니라도 괜찮다. 우리는 사진작가가 아니고 여행작가가 되고 싶은 것이기 때문에 성실하게 사진으로 보조 기록을 남긴다고 생각하면 된다.

[여행 후]

본격적으로 책쓰기

여행을 마치고 돌아오면 그때부터는 본격적으로 책쓰기가 시작된다. 여행 전과 여행 중에는 여행에 집중해서 책쓰기를 잊고 있었다 하더라도, 여행을 마친 후에는 최대한 책쓰기에 집중해야 한다. 혼자서 계획해서 책을 쓰는 사람은 여행을 마친 후에 집중하지 못하면, 책을 내지 못하고 헛수고만 하게 되기 때문이다. 여행을 마치면 그때부터 본 게임이 시작된다.

1. 마감 정하기

초고를 쓰기 전, 가장 먼저 해야 하는 일은 각 과정의 마감일을 스스로 설정하는 것이다. 책 등록 마감일은 최대 3달 이내로 설정하는 것이 좋고, 스스로 정한 기한 동안에는 매일 꾸준히 책쓰기에 시간을 투자해야 한다. 책을 쓰는 작가, 특별히 자가출판해야 하는 '북 크리에이터'는 중요한 경기를 앞두고 체중을 조절하는 복싱선수와 같다. 매일 시간을 투자해서 정해진 날까지 정해진 분량을 써내야 한다.

복싱선수의 목표가 경기전까지 20kg을 감량하는 것이라면, 작가는 원고 마감일까지 10만 자 내외를 써내야 하고, 등록일까지 완전히 준비된 원고 파일과 책표지를 준비해야 한다. 운동선수가 경기전 '계체량' 측정에서 체중조절 실패로 경기에 출전하지 못하는 모습은 본 적이 없다. 내 이름을 대표할 책을 쓰면서 스스로에게 부끄럽지 않기 위해서, 목표에서 멀어지지 않기 위해서는 반드시 일정을 먼저 정해야 한다. 스포츠 선수들의 뼈를 깎는 노력이 존경받는 것처럼, 책을 쓰는 것도 꾸준한 노력이 있어야 가능하다. 특히 생활인으로 할 일을 다 해가면서, 글을 쓰는 것은 '형설지공'의 노력을 해야 하는 일이다. 현실적인 수많은 이유가 생겨서 꾸준히 집중하는 것을 방해할 것이다. 무사히 출간하기 위해서는 쇠뿔도 단김에 빼야 한다.

2-1. 본격적으로 책 기획하기 - 판형과 분량

여행 전 사전 기획을 했었든, 하지 않았든 책을 쓰기 전에는 어떤 책으로 만들 것인가를 고민해서, 책의 형태와 성격을 정해야 한다. 책의 기획은 시대와 트랜드, 메시지, 디자인 등 다양한 요소를 고려해서 팔리는 책으로, 독자가 필요할 만한 책으로 만드는 것이다.

첫 책을 쓰는 작가가 기획을 이해하는 가장 쉬운 방법은 내 책의 분위기를 상상해보는 것이다. 책의 내용이 가볍고 쉬운지, 무겁고 진지할 것인지부터 정해가는 방법이다. 나는 그것을 '책의 무게'를 정하는 일이라고 말하는데, '책의 무게'에서부터 시작해서 분량과 판형을 정해야 한다.

책의 판형

판형이란, 책의 크기를 가리키는 말이다. 책의 판형은 다양하지만, 크게 네 가지 정도로 생각해 볼 수 있다. 교보문고의 POD 출판 플랫폼 <퍼플>에서는 다양한 크기의 판형을 제공하지만, 이 책에서 추천하는 <부크크>에서는 네 가지 판형만 제공한다. 초보자 입장에서는 선택지가 적은 <부크크>가 쉽게 판형을 이해할 수 있어서 편리하다. 시집 크기의 조금 작은 책(46판), 가장 대중적인 소설책 크기(A5), 작은 잡지나 문제집 크기(B5), 일반적으로 사무

용지로 많이 사용하는 A4 크기 네 가지로 나눠진다. 책의 분량이 적고 내용이 가벼우면 시집 크기, 사진이 중심이고, 단행본이나 소설에 가장 많이 사용하는 판형은 A5다. 일반적인 책 크기를 원한다면, A5를 선택하면 된다. 큰 사진을 많이 싣고 싶다면, 문제집이나 잡지에 많이 사용되는 B5나 A4 판형을 사용하면 된다. 책의 크기가 커질수록 나중에 책 가격이 비싸지는 것도 고려해서 판형을 선택하면 된다.

책의 분량과 무게

분량은 일반적으로 가장 많이 출판되는 도서의 판형인 A5(소설책 크기)를 기준으로, 200쪽 분량일 때 10만 자 내외가 보통이다. (출판사에서 상업 출판을 할 때는 원고지 600매를 기준으로 삼고, 글자 수로는 12만 자 정도가 된다. 그러나 요즘 책들이 글자 수가 적어지면서 8~12만 자 사이가 가장 많은 것으로 생각된다.)

분량은 책의 무게와 분위기에도 영향을 미친다. 이론서들은 내용도 무겁고 분량도 많으며 물리적인 무게도 무겁다. 에세이나 가벼운 책들은 가볍게 읽기 쉽고 글의 내용도 많지 않으며 실질적인 무게도 가볍다. 물론 분량이 책의 분위기를 정하는 '글의 무게'를 결정하지는 않지만, 주말에 가볍게 읽을거리를 찾는 독자에게 500페이지 책은 부담스러울 것이고, 개론서를 찾는 사람이 100페이지짜리 가볍고 짧은 책은 부족함을 느낄 것이다. 자신의 글이 어떤

'글의 무게'를 가지냐에 따라 분량도 조절하면, 독자를 설득하기 쉬워진다.

책의 분량과 두께와 가격

책의 분위기를 고려하더라도 책의 두께는 다른 문제다. 가볍게 읽히고 싶어도 제품설명서처럼 두께가 너무 얇으면 예쁘지 않고, 노력이 평가절하되는 느낌이 든다. 진지한 내용을 다룬 책도 너무 두꺼워지면 판매가가 너무 높아지는 문제가 있다. <부크크>의 종이책 판매 가격을 기준으로 가벼운 분위기의 책이라도 최소 130~180페이지 이상이 좋고, 무겁고 진지한 책이라도 300페이지를 넘지 않아야 가격이 너무 비싸지지 않는다.

분량이 적다고 걱정하지 않아도 된다. 분량이 적으면 편집하면서 페이지 여백을 넉넉하게 설정하면 되고, 분량이 너무 많으면, 촘촘하게 편집하고 흑백으로 내지를 디자인하면 가격도 저렴해진다. 300페이지가 넘어가는 책은 흑백으로 편집하는 것을 추천한다. 기획단계에서 대략적인 분량과 책의 두께, 판매 예상 가격을 설정하는 것이 책의 분위기와 방향을 설정하는데, 도움이 된다. 원고 완성 후 내지편집을 시작하면서 <부크크> 책 만들기 페이지에 들어가서 가격과 두께를 확인한 다음 편집하면서 원하는 두께와 분량에 맞게 조절할 수 있다. 분량이 적다고 내용이 얕은 것은 절대 아니다. 분량은 독자의 필요와 '글의 무게'와도 적절히 조화를 이뤄야 효과적이다.

2-2. 본격적으로 책 기획하기 - 키워드와 예상 독자

검색에 노출되는 키워드

책의 키워드와 독자층을 예상해 보는 것은 책에 시장성을 불어넣는 작업이다. 예상하는 핵심 키워드로 비슷한 종류의 다른 책들을 검색해보고, 내 책의 다양한 주제 중에서 어떤 키워드를 핵심적으로 사용해야 더 많은 독자를 만날 수 있을지 예상해 보는 것이다.

<90일 작가되기> 클래스에 참여한 작가님 중에서 『제주 에어비앤비』를 집필한 정승찬 작가님의 사례가 대표적이다. '펜션 운영 전반의 노하우'에 대해 쓰기 시작했는데, 같은 내용이라도 '에어비앤비'라는 단어가 인기 있는 키워드라고 판단했다. 비슷한 내용이지만 에어비앤비에 대한 내용을 추가해서, 제목으로 정했다. '에어비앤비'라는 단어는 검색이 많이 되는 키워드이면서, 펜션, 민박, 호텔을 포괄한다. 내용을 함축하는 것은 물론이고, 더 많은 독자층

과 밀접하게 연결되어 있어서 결과적으로는 더 많은 사람의 필요를 충족하게 되었다.

자가출판 작가들은 책을 쓰기도 어렵지만, 홍보하기는 더 어렵다. 책을 홍보에 기댈 수 있는 버팀목이 바로 '검색어'다. 필요한 사람이 검색을 통해 직접 찾아오게 만드는 것이 키워드다. 얼마나 많이 검색에 노출되어서 많은 독자를 만나고, 책으로써 수명을 길게 유지할 수 있는지를 결정하게 되는 중요한 부분이므로 반드시 생각해봐야 한다. 물론 책을 완성해 가면서 충분히 바꿀 수 있지만, 원고를 쓰기 전에 다양하게 검색해보면서 책의 방향성을 수정할 수도 있고, 『제주 에어비앤비』처럼 내용을 추가해서 많은 사람이 원하는 책으로 완성하는 데도 도움이 된다.

독자를 알아야 정확해진다.

예상 독자층도 반드시 생각해봐야 하는 문제인데, 책의 디자인에서부터 제목, 내용까지 모든 부분과 관련 있다. 예상 독자층을 가장 표면적으로 내세우는 책들이 바로 어학 관련 도서다. 스페인어를 배우려고 책을 찾아본다고 생각해보자. 수많은 스페인어 도서 중에서 '초보자를 위한', '여행자를 위한 생활 회화' 같은 문구가 바로 그런 것이다. 책의 내용이 독자의 필요에 부합하는지를 보여주는 가장 필수적인 부분이 바로 예상 독자층을 상정해보는 것이다. '초보자를 위한' 책이라면 스페인어의 가장 기본적인 부분부터 쉬운 내용으로 구성해야 하는 것이 중요하다. 내가 쓸 책의 독자를 상정해보는 것 자체가 책의 내용에도 지대한 영향을 미치기 때문에, 반드시 원고를 쓰기 전에 독자의 범위를 정해두고 시작해야 한다. 예상 독자층은 제목과 디자인에도 영향을 미친다. 10대를 위한 책인데, 제목을 '성공으로 가는 돈의 법칙'이라고 짓지 않듯이 예상 독자의 연령대 관심사 등을 파악해서, 디자인과 제목에 반영해야 한다. 잠깐만 생각해봐도 20대 여성과 50대 남성이 선호하고, 호기심을 가질 만한 제목과 디자인이 다르다. 열심히 쓴 책이 키워드나, 예상 독자층이 선호하지 않는 디자인 때문에 외면받게 하지 않으려면, 꼭 생각해봐야 할 문제다.

2-3. 본격적으로 책 기획하기 - 핵심내용과 메세지

메시지는 책의 영혼이라고 할 수 있을 정도로 중요하다. 비슷한 내용의 책이라도 메시지의 방향은 모두 다르다. 책이라는 길고 지루한 여정을 택하는 이유도 미묘하게 다른 메시지를 촘촘하고 자세하게 이해시키기 위해서다. 메시지는 결국 책을 쓰게 만든 동기이면서 설득의 무기다. 무기를 갈고 닦아서 설득에 성공하는 것이 책의 존재 이유다.

그런데, 원고를 쓰기 시작하면, 작은 부분, 사건에 매몰되어서 전체의 흐름을 놓치기 쉽다. 글을 쓰기 시작하면 알게 되겠지만, 글을 쓰면서 일관된 메시지를 놓치지 않는 것은 쉽지 않다. 한 문단 안에서도 시작과 끝에 전혀 다른 이야기를 하고있는 자신을 쉽게 발견할 것이다. 짧은 글에서도 명료하게 전달하기 쉽지 않은데, 여러 이야기가 엮여 있는 긴 호흡의 책 안에서는 더욱 어렵다. 첫 책을 쓰는 작가라면 더욱 쉽게 길을 잃는다.

여행 이야기를 쓰면서, '가족 간의 어렵고도 따뜻한 관계'에 대해서 메시지를 담고 싶었는데, 쓰다 보면 처음 먹어 본 열대 과일 이야기만 하고 있을지도 모른다. 산을 오르려고 열심히 걷고 있었는데, 눈을 들어보니 정상의 봉우리가 너무 많아서 어떤 길로 가야 할지를 모르는 것과 같다. 그래서 기획단계에서 메시지를 짧게라도 써보는 것이 중요하다. 한 문장이라도 좋고, 한 페이지라도 좋다. 책이 어디로 향할지 목적지에 깃발을 꽂아서 길을 잃지 않도록 하는 것이 바로 메시지를 적어보는 것이다.

여행은 그야말로 삶의 축약본이다. 여행에서야말로 그 사람의 진정한 인성을 알아볼 수 있다는 말이 있듯이, 여행 에세이는 여행을 통해서 삶의 성공과 좌절, 인간 본성 같은 수많은 메시지를 담을 수 있다. 우리가 쓰고 싶었던 것은 어쩌면 우리의 여정이 아니고, 가슴에 끓고 있었던 메시지가 아니었을까를 생각한다면, 목적지를 분명히 하고 시작해야 한다. 어떤 에피소드에서도 우리가 말하고 싶었던 메시지를 찾을 수 있도록, 그래서 핵심내용과 메시지를 써보는 것은 목적지로 가는 지도를 그리는, 작가에게 가장 중요한 부분이다.

1. 책의 내용이 쉽고 가벼운가? 길고, 진지한가?
2. 분량 정하기
3. 판형 정하기 4*6판, A5, B5, A4
4. 책의 핵심 키워드
5. 예상 독자층
6. 핵심내용
7. 전달하고 싶은 메시지

3. 목차 쓰기

이제 진짜 설계도를 그려야 할 때다. 책에서는 목차가 설계도다. 처음 집을 짓는 사람은 처음부터 정확한 설계도를 그리기가 어렵다. 첫 책을 쓰는 사람도 딱 떨어지는 목차를 처음부터 쓸 수 없다. 목차를 쓰는데 시간을 많이 들이지 말고, 3시간에서 하루 정도 투자해서 최소 4~50개 항목을 에피소드 중심으로 구성하면 좋다. (200페이지의 일반적인 분량을 쓸 때는 목차 항목이 40개 이상, 100페이지 정도의 가벼운 책으로 쓸 때는 2~30개 사이의 목차를 정해두면 된다) 목차 항목의 숫자로 책의 분량을 예상해 볼 수도 있는데, 이는 나중에 더 자세하게 설명하도록 하겠다.

목차의 순서는 나중에 바꿔도 되고, 글을 쓰면서 수정하고, 보충하면 된다. 중요한 것은 목차를 완성하고, 프린트해서 가지고 다니면서 생각나는 대로 추가하고, 수정해야 한다는 점이다. 원고를 쓸 때도 목차를 보면서 순서대로 작성해야 하기 때문에 목차는 2~3부 정도 출력해서 항상 가지고 다니면서, 원고를 쓸 때 참고하고, 필요한 부분을 수정하면 좋다.

첫 설계도는 시행착오가 많은 법이다. 원고를 쓰다 보면 자연스럽게 목차가 합쳐지거나 빠지는 일이 비일비재하게 일어난다. 그래서 목차 항목은 넉넉하게 써둘수록 좋다.

목차 작성에 걸리는 시간 - 3시간~2일
200페이지 책을 구성할 때 - 목차 항목 40개 이상
100페이지 책을 구성할 때 - 목차 항목 20~30개 이상
목차 프린트하기

4. 여행책 완성을 서둘러야 하는 이유

원고를 작성해서 순서대로 책을 만들고 출간하면 되는데, 초고 작성~출판 사이의 기간을 90일 3달 이내로 해야 한다. 처음 책을

쓰고, 만드는 사람에게 90일이 걸려 완성된 책이나 120일이 걸려 완성된 책이나 안타깝게도 완성도가 크게 차이나지 않는다. 처음이란 단어는 설레지만, 미숙하고 시행착오를 거쳐야 한다는 것을 예언하는 단어이기도 하다. 처음부터 완벽한 작품을 만드는 사람도 물론 있지만, 우리는 아닐 것이라고 가정하는 것이 정신 건강에도 좋고, 행복하게 책을 완성하는 방법이라고 생각한다. 우리의 목표는 완벽이 아니고, 완성이라는 것을 잊지 않아야 한다.

중요한 다른 점은 우리가 전업 작가가 아니라는 점이다. 온전히 책을 쓰는 데만 모든 시간을 투자할 수 없다. 중요한 일이 생기면 먼저 해결해야 하고, 책 쓴다고 명절에 가족들은 안 만날 수도 없다. <90일 작가되기>를 운영하는 동안에도 갑작스러운 사건으로 어쩔 수 없이 책쓰기를 미뤄야 했던 분들이 간혹 있었다. 서로서로 감시하고 응원하면서 책쓰기를 진행했는데도 어쩔 수 없는 일은 생긴다. 때문에, 시간이 여유 있을 때, 가능할 때 시간을 투자해야 한다.

책을 완성하는데 걸리는 시간

하루에 2시간 정도 투자하면 빠듯하지만, 90일 내에 책을 완성하는 것이 가능하다. 하루에 한 시간을 투자하면 반년 정도 걸린다. 하지만, 정해진 마감이 없고, 경험이 없이 첫 책을 내는 작가는 시간이 오래 걸릴수록 자신감도, 관심도도 떨어진다. 돈을 받지 않고 책을 쓰는 일은 돈을 받고 글을 쓰는 전업 작가보다 훨씬 더 많은 에너지가 필요하고, 훨씬 어려운 일이다.

현재성

모든 글에는 현재성이 존재한다. 특히 기행문, 여행기는 현재성이 더욱 도드라지는 종류의 글이다. 몇 달만 지나도 여행지에는 새로운 카페가 들어서거나 새로운 교통편이 생긴다. 여행기에서 독자가 보고 싶어 하는 것이 정확한 정보는 아닐지라도, 현재 시점과 사실이 일치할 때 더 공감하기 쉽다. 이러한 성격의 글들은 빨리 쓰는 것이 작가에게나 독자에게나 좋다.

얼마 전 오랫동안 미뤄뒀던 러시아 여행기를 쓰고 있었다. 러시아는 겨울에 여행했던 몇 안 되는 나라라서, 즐거운 마음으로 사진도 찾고, 메모도 확인하면서 쓰던 중에 '우크라이나 – 러시아' 전쟁이 터졌다. 매일 사람이 죽어가는데, 여행기를 계속 써나가기에는 분통이 터졌다. 여행기를 완성해도, 전쟁 중인 나라의 여행기를 보고 싶어 하는 사람도 없을 것이다. 여행기의 현재성은 이런 종류의 것은 아니지만, 쓸 수 있을 때, 마무리할 수 있을 때, 마무리해야 한다. 언제나 강조하듯 여행의 흥분이 가라앉기 전에, 글쓰기의 열정이 식기 전에 써야 쓰는 사람과 독자 모두 흥미진진한 이야기를 공유할 수 있다.

재현성

물론 오래전 기억을 더듬어서 회고하는 형식으로도 여행기를 쓰는 것은 가능하다. 그러면, 여행기의 중요한 특성인 재현성을 상실하기 쉽다. 스마트폰이 있기 전, 여행의 기억을 더듬어서 기행문을 쓴다고 하면, 여행의 정보는 이미 쓸모없어졌을 것이고, 읽는 사람에게는 신기할 수는 있으나 여행기의 내용을 독자가 경험해 볼 가능성은 없다. 여행기에는 현재성과 동시에 독자가 작가의 여행을 따라 방문해 볼 수 있는 재현성이 있기 때문이다. 소설과 비슷한 사건이 독자에게 일어날 일은 거의 없다. 그러나, 여행기에서 작가가 당한 사기는 독자도 똑같이 당할 가능성이 크다. 이 재현성 때문에 여행기의 몰입도가 높아지는데, 독자 역시 자신의 과거나 미래에 일어날 일로 생각하기 때문이다. 독자가 자신에게 일어날 수 있는 일이라고 생각하게 되는 데는 작가의 경험이 현재에서 너무 동떨어져서는 곤란하다.

여행기가 가지는 재현성의 핵심은 같은 장소를 시공간을 넘기도 한다. 아마 100년 전 유명 여행지 앞에서도 지금과 똑같이 먹거리를 팔거나 거리공연을 하는 사람도 있었을 것이고, 여행자를 노리는 소매치기도 있었을 것이다. 풍경은 달라졌어도 수많은 여행자가 같은 장소와 경험을 공유하는 것은 달라지지 않는다. 여행자를 돕거나 사기를 치는 사람들의 속성도 크게 달라지지는 않는다. 오랜 시간이 지나도 여행기의 재현성은 어느 정도 유지되지만, 스마트폰을 사용하는 여행자가, 지도를 들고 여행하는 여행자의 심정을 100% 이해하기는 어렵다. 책이 출간되어 가장 잘 팔리는 시기인 1~3년 사이에 독자들에게 공감을 얻기 쉬운 것이 시공간의 재현성이다.

여행기는 작가에게도 여행의 재현이다. 신기하게도 원고를 쓰는 동안에 조금만 미적대면, 1년은 금방 지나고, 그쯤 되면 책에 쓴 사실들이 아직도 맞는지 한 번씩 검토해야 한다. 그보다 원고를 오래 묵히면, 출간할 용기마저 사라진다. 작가의 여행이 책으로 재현될 기회도 사라지는 것이다. 여행기는 소설이나 시와 달리 자꾸만 과거로 멀어져가는 이야기이다. 첫 책을 쓸 때, 그것이 여행기라면 더욱, 할 수 있는 한 집중해서 빨리 완성해야 한다.

5. 초고 쓰기 (45일)

초고를 쓰는 것은 여행 중의 기록을 참고해가며 목차를 따라서 차곡차곡 쓰면 된다. 처음 초고를 쓸 때는 문장의 완성도나 글의 전개 따위를 신경 쓰지 않고 조금 빠르게 써 내려가는 것이 좋다. 첫 초고를 쓰면서 맞게 잘 쓰고 있는지 의문이 들었다. 책이라는 거창한 글을 이렇게 평소대로 써도 되나 걱정이 앞섰는데, 책에 정답은 없고, 작가란 스스로 정답을 찾아가는 사람이다. 그래서, 문장의 완성도를 고민하지 말고, 조금은 빠르게 생각을 적어나가는 것이 좋다. 보통 나는 초고쓰기를 '생각을 다운로드 하는 과정'이라고 말한다. 두서가 없고, 수정하게 되더라도 번뜩이는 생각들을 빠르게 적어나가면, 보통은 글의 메시지가 선명해지게 된다. 처음 일주일가량은 매우 빠른 속도로 원고를 쓰면서 글의 분량을 확보하고 생각을 전개하는 것이 중요하다. 몇 주가 지나면 글쓰기가 어느 정도 익숙해지는데, 원하는 만큼 충분한 분량이 되지 않아도 괜찮다. 어느 정도 글이 쌓이고, 글쓰기가 익숙해지면, 먼저 쓴 글을 읽으면서, 표현도 보완하고, 필요한 내용도 보충하기가 수월하다.

매일 한두 시간씩 글을 쓴다는 가정하에, 이러한 과정을 2주 정도 거치면, 자신이 어떤 글을 쓰는 사람인지 스스로 이해하게 되고, 이전보다 훨씬 논리정연하게 쓰고 있는 자신을 발견할 것이다. 하루 2시간을 쓴다고 생각할 때, 45일 정도에 원고를 완성할 수 있도록 계획을 세우는 것이 좋다.

6. 퇴고(1~2주)

원고를 쓰고나서 퇴고는 1~2주 안에 마무리해야 한다. 퇴고 과정은 가장 기본적으로 맞춤법에서부터, 단어, 어법에 맞는 문장,

표현을 고치는 모든 과정을 포함한다. 이를 보통 교정, 교열, 윤문이라고 한다. 출판사에서 출판할 때도 최소 3회 이상 여러 명이 보는데, 그 속도가 매우 빠르다. 오타 정도는 주변 사람과 같이 볼 수 있으면 부탁을 해도 좋고, 전체 퇴고 과정을 여러 번 빠르게 반복하면서 문장과 표현도 함께 고쳐야 한다. 퇴고 과정에 너무 많은 시간을 들이는 경우가 있는데, 시간이 충분하다면 가능하지만, 퇴고를 꼼꼼히 한다고 해서 전체 글의 수준이 달라지지는 않는다는 점을 기억해야 한다. 가능하면 스스로 정한 마감 안에 퇴고를 마쳐야 한다. 퇴고 시에는 반드시 전체 원고를 출력해서 검토해봐야 한다. 원고 출력 한번 없이 책을 완성하려는 것은, 차를 한 번도 운전해보지 않고 운전면허를 따려는 것과 다름없다. 우리가 완성한 책은 누군가 돈과 시간을 들여 읽는다. 어렵게 만난 독자에게 실망을 안기지 않으려며, 반드시 원고를 출력해서 수정해야 한다. (이 글을 쓸 자격이 있나 하는 생각에 마음이 무겁다.)

퇴고 과정은 사실 끝이 없다. 전문 편집자들도 오탈자가 완벽한 책은 없다고 하기도 하고, 문장은 고치다 보면 끝도 없이 수정하게 된다. 퇴고는 마감을 정해두고 하는 것이 가장 좋다. 퇴고가 시작되면, 목차의 순서를 바꾸기도 하고, 필요한 부분을 추가하기도 하는데, 책 전체의 기승전결, 윤곽이 정해지면, 내지 편집 양식에 얹어가면서 퇴고하는 것이 좋다. 결과적으로는 내지 편집과 퇴고가 어느 정도 동시에 이뤄진다고 볼 수 있다.

7. 책 내지 편집(2주) - 한글편집 프로그램

퇴고를 어느 정도 마치면 책의 내지, 본문 원고를 편집하게 된다. 책의 내지는 표지를 제외한 원고 부분을 말한다. 책 내지 편집은 꼭 편집 전문 프로그램을 이용할 필요는 없다. 초보자일수록 다루기 쉬운 프로그램을 이용하는 것이 좋은데, 책을 편집하는 것도 익숙하지 않은데, 새로운 프로그램을 배워서 익숙하게 이용하는 데 걸리는 시간을 생각하면, 새로운 프로그램을 배우는 대신에 원고를 쓰는데 집중하는 것이 낫다. <한글> 문서 편집 프로그램을 통해서 책을 편집하는 것을 추천한다. 대표적인 편집 프로그램으로는 <인디자인>과 <퀵익스프레스>가 있고, 책 편집을 위해서 <인디자인>을 배우는 데서부터 시작하는 사람도 많다. 그러나 전문 편집 프로그램인 <인디자인>은 설정의 자유도가 매우 높은 편이라서 익숙하지 않으면 인쇄사고가 나기 쉽고, 사이즈나 여백 설정, 이미지의 해상도 등 신경 써야 할 문제가 많다. <부크크>에서는 내지 편집을 위한 양식과 서체를 제공한다. 책의 판형에 맞게 여백과 글씨 크기가 잘 설정된 한글 양식 파일을 다운로드 받을 수 있다. <부크크>에서 내지 편집 양식을 다운로드 받아서, 미리 써둔 원고를 붙여넣는 것만으로 초보자도 쉽게 기본적인 내지 편집을 할 수 있다. 기본적으로 내지 편집을 하는 것은 어렵지 않지만, 다른 완성도 좋은 책들을 많이 보면서, 책의 양식과 구조를 참고하면서 편집을 하는 것이 좋다. 최종 편집이 완성된 내지는 PDF로 변

환해서 등록할 준비를 마치면 된다.

8. 책 표지 디자인(1주) - 〈미리캔버스〉

책표지는 다양한 프로그램으로 만들 수 있다. 〈포토샵〉이나 〈일러스트레이터〉, 〈인디자인〉 같은 다양한 프로그램으로 만들 수 있지만, 가장 익숙한 프로그램으로 만드는 것이 중요하다. 그래픽 프로그램이 익숙하지 않다면, 디자인 플랫폼 〈미리 캔버스〉를 이용해서 만드는 것이 가장 쉽고 편리하다. 〈미리 캔버스〉는 '북커버' 탬플릿에서 다양한 책표지 디자인을 제공한다. 무료로 사용할 수도 있고, 유료로 이용하면 더 다양한 디자인을 이용할 수 있다. 〈미리캔버스〉를 이용하면 저작권문제에서도 자유로워지기 때문에 초보자에게는 여러모로 편리하다. 디자인 플랫폼의 종류에도 여러 가지가 있지만, 주로 사용하는 디자인 플랫폼이 없다면, 여러 가지 기능 면에서 〈미리캔버스〉를 이용하는 것이 경험상 가장 편리했다. 플랫폼을 이용해서 책표지를 만드는 것은 어렵지는 않지만, 종이책의 표지를 만들려면 표지의 구조를 이해해야 한다.

종이책 표지의 구조는 어렵지는 않지만, 이해가 필요하다. 구조만 이해한다면, <미리캔버스>를 이용해서 충분히 초보자도 만드는 것이 가능하다.

종이책의 표지는 큰 한 장의 종이를 접어서 만드는 구조로 되어있다. 판형의 크기에 따라서 표지의 사이즈가 결정되고, 위 그림과 같은 순서로 배치하면 된다. 표지의 사이즈를 결정하는 방법과 편집의 유의점에 대해서는 시키는대로 책쓰기 플래너 2권 『90일 종이책 작가되기』에서 자세히 다뤘으므로, 이 책에서는 여행기에 대해서 더 집중적으로 이야기하겠다.

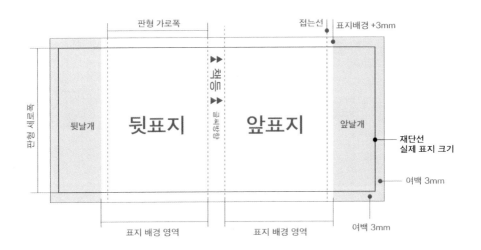

9. 출판 플랫폼에 등록(1주일) - 〈부크크〉

〈부크크〉에 책 등록하기

완성된 원고 파일과 표지 파일이 준비되면, 출판 플랫폼 〈부크크〉를 통해서 책을 출간할 수 있다. 책을 등록하고, ISBN 번호 발급을 대행하고, 책을 제작해서 온라인 대형서점에 유통을 대신에 해준다. 이 모든 비용이 무료다. 대신에 원고나 디자인에 대한 검수는 해주지 않으므로 출간된 책에 대한 책임은 모두 작가에게 있다.

〈부크크〉에서 출간할 책을 등록하는 것은 어렵지 않다. 간단한 회원 가입 후에 이메일, 본인인증의 통상적인 과정을 거치고 나면 책을 등록할 수 있게 된다.

〈부크크〉 책 등록 전 준비물

원고 PDF 파일(hwp, doc, docx 형식의 파일로 업로드하는 것도 가능하지만, 가능하면 PDF 형식으로 올리는 것이 안전하다.)
표지 PDF 파일
책 소개, 작가소개, 차례 - 책 등록 시 입력해야 한다.

위의 내용만 준비하면 누구나 어렵지 않게 책을 등록할 수 있다. 책 제목과 부제를 입력하고, 책의 판형, 표지 종이의 종류 등을 선택하면서 단계별로 진행하면 된다. 플랫폼이 모든 필요한 정보를 선택하도록 돕고, 필요한 양식을 제공하기 때문에 필요한 사항을 포맷에 맞게 업로드하거나 선택하면 된다.

책 승인 전 반려

<부크크> 플랫폼에 책을 등록하는 과정은 넉넉하게 잡아도 한두 시간이면 마무리할 수 있는데, 책 등록에 필요한 기간을 1주일이나 잡은 것은 승인이 반려될 수 있기 때문이다. 처음으로 책을 등록하다 보면, 한 번에 책을 등록을 승인받기는 쉽지 않다. 여러 가지 문제로 등록을 반려 당할 수 있는데, 주요사유는 표지 사이즈의 문제, 폰트, 내지에 들어가는 이미지 문제 등이 있다. 반려 사유에 대해서는 <부크크>에서 매우 꼼꼼하게 알려주기 때문에 지적받은 사유를 하나씩 고쳐나가면 된다.

책 등록과정에서 반려를 받은 이후 끝없이 일정이 지체되는 경우가 있는데, 반려라는 달갑지 않은 거부가, 책에 대한 거부처럼 느껴지기 때문이다. 반려는 책 내용과는 상관이 없다. 인쇄 실무적 문제에 가깝다. 이런 사소한 실수는 실무 디자이너들도 자주 만나는 일이다. 첫 책에서 반려를 당하는 것은 누구나 있는 일이고, <90일 작가되기>를 처음 시작했을 때는 거의 10번가량 반려를 당한 작가분도 계셨다. 수십 권의 책을 수십 번 등록해도 계속 반려

되는 사소한 실수는 막기 어렵다. 다행히 <부크크>는 일 처리가 빠르고, 매우 자세하게 반려 사유를 안내해 준다. 반려는 책 내용에 대한 거부가 아니다. 일주일 안에 반려 사유를 해결하고 책을 등록 해야 한다. 이때를 놓치면 힘들여 쓴 원고는 서랍에서 다시 잠자게 될지도 모른다. 이 과정만 마치고 나면, 책이 등록되고 자동으로 온라인 판매가 시작된다. 마지막 고비만 잘 넘기면 책 출판의 모든 과정이 끝나고 드디어 작가가 된 것이다.

시키는대로 책쓰기 3

여행작가의 기록법
여행책 쓰기

[여행기란]

[여행기란]

여행기는 다양한 종류의 글 중에서도 장르적 범위가 매우 넓은 편이다. 시간이나 장소의 순서로 여정을 기록한 것이 가장 많은 종류다. 여행기가 무엇인지 모르는 사람은 없겠지만, 앞으로 쓸 책의 구상을 위해서, 여행작가라는 한 분야의 전문가가 되기 위해서 여행기를 다시 한번 살펴보려고 한다.

여행자가 만드는 다큐멘터리

'여행하면서 보고, 듣고, 느끼고, 겪은 것을 적은 글. 대체로 일기체, 편지 형식, 수필, 보고 형식 따위로 쓴다.'

『표준 국어 대사전』에는 여행기가 이처럼 서술되어 있다.

여행기를 이해하기 쉽게 생각하면 다큐멘터리와 비교해서 생각해보면 쉽다. 다큐멘터리는 기본적으로 사실을 담은 영상이다. 내용이 어떤 것이냐에 따라서, 편집과 나래이션을 달리하면서 메시지를 전달한다. 쉽게 볼 수 있는 자연 다큐에서는, 이성적이고 평온한 톤의 나래이터가 설명을 더한다. 보는 사람의 몰입이 깨지지 않도록, 혹시 조는 사람이 있다면 깨우지 않도록, AI 같은 톤으로 생사를 넘나드는 동물의 세계를 잔잔하게 보여준다. 동물의 생존을 앞에 두고 사자와 사슴 사이에서 누구의 편도 들지 않고, 자연 그대로를 보여주려고 의도하기 때문이다.

여행기는 다큐멘터리처럼 객관적인 시각으로 사실만을 기록할 수도 있고, 여행자의 감정을 담아서 좀 더 개인적이고 감정적으로 다이내믹하게 연출할 수도 있고, 차분하게 철학적인 이야기로 이어가도 된다. 여행에서 보고 느낀 것이라는 재료로 어떤 연출도 가능한 것이 여행기다. 어느 쪽이든 작가의 의도와 표현력에 달려있는데, 다큐멘터리처럼 있었던 사실을 기반으로 작가의 말을 더해서 분위기와 메시지를 전달한다는 점이 비슷하다고 할 수 있겠다.

여행 에세이

그중에서 여행 에세이는 개인의 감정과 해석에 더 초점을 맞춰서, 귀찮을 정도로 꼼꼼하게 첨언을 하는 나래이터가 매번 끼어드는 여행 드라마에 가깝다. 들려주고 싶은 여행 이야기가 넘치는 할 말 많은 나래이터가 바로 작가다. 어느 여행자라도 겪는 백이면 백 다 당하는 사소한 사기에, 세상 호들갑스럽게 굴고, 깨알 같은 설명을 하면서 같은 여행에 작가의 감성을 더해서 새롭게 만든다. 감정 기복이 넘쳐서 최고의 행운을 맛봤다가, 돌아서면 금세 눈물을 찔끔대기도 하고, 사소한 것에 의미부여를 하면서, 혹시라도 흥미를 잃을까, 재미있는 썰을 과장되게 풀어내기도 한다. 조금 과장되게 설명했지만, 여행 에세이는 여행에서 일어난 사건을 중심으로 작가가 어떻게 들려주냐에 달려있다.

다큐멘터리가 사실을 정확하게 보여주는 것이 목적이라면, 여행기, 여행 에세이는 사실을 작가의 관점에서 보여주는 것이 목적이다. 여행 다큐멘터리가 얼마나 사실적이고, 작가의 관점이 얼마나 비중을 차지할지는 작가에게 달렸다. 다이나믹한 여행의 즐거움을 보여주는 흥분의 도가니가 될 수도 있고, 여행에서 얻은 통찰을 차분하고 진지하게 이야기할 수도 있다. 여행기의 한 축은 사실, 나머지 한 축을 작가가 꾸민다고 생각하면 된다.

여행이라는 장르

여행 가이드북은 '여행자들이 필요한 정보'라는 사실만을 모아 놓은 것이다. 책에서 여행이라는 장르는 글의 성격으로 분류되지 않고 '여행'의 유무로 분류된다. 따라서 모든 장르에 여행을 더하면 여행 서적이 된다. 소설에 여행을 더하면, 여행 소설이 되고, 수필에 여행을 더하면 여행 에세이, 요리책에 여행을 더하면 여행 요리, 문화에 여행을 더하면 『나의 문화유산 답사기』 같은 책이 된다. 여행에 철학적 사유를 더하면 류시화나 김영하 작가 같은 매력적인 여행 에세이가 되기도 하고, 테마를 담으면, 『제주 오름 지도』 같은 책이 되기도 한다.

작가가 경험한 여행이라는 '사실'에, 보통사람이 나오는 평범하고 지루한 다큐멘터리를 만들면서, 어떤 나래이션을 입힐지 결정하는 것이 여행기를 쓰는 일이다. 오토바이로 넘쳐나는 베트남 거리에 쪼그리고 앉아서 쓴 커피를 먹어야만 하는 이유를 설명할 수도 있고, 베트남의 역사를 설명할 수도 있고, 소란스러운 거리에서도 외로운 이유를 설명할 수도 있다. 여행의 장르는 운명 같은 우연이 정했지만, 내가 쓴 여행기의 장르는 작가가 정한다.

무엇이 떠나게 만드는가?

여행기, 기행문은 사실과 문학 사이에 있는 독특한 장르의 수필이다. 일반적으로 문학보다는 덜 모호하고, 덜 관념적이다. 여행의 경로, 장소, 시간, 여행에서 만난 사람 등 작가가 경험한 사실이 기행문의 뼈대가 되기 때문이다. 작가를 따라서 낯선 곳에서 방랑하고 경험하는 것을 담은 여행기는 기본적으로 타인의 경험을 읽는 것이다. 이미 다녀온 곳에 관한 이야기를 읽을 때도 있지만, 전혀 모르는 곳에 관한 이야기를 읽을 때도 많다. 작가에 동화되어 글로 떠나는 낯선 여행에서 왜 우리는 흥미를 느낄까. 왜 드라마틱한 장치로 가득한 소설이나, 통찰을 담은 수필보다 왜 쉽게 여행기에 공감할까? 소설이나 수필은 과장된 이야기가 많지만, 그 안에서 삶과의 접점을 찾아내서 공감한다.

여행기는 다른 문학보다 매우 현실적이다. 언제라도 나의 이야기가 될 수 있다고 생각하게 되는 것이다. 얼마 전에 다녀온 나의 여행 이야기, 다음 주에 떠날 나의 여행 이야기라고 생각할 수 있는 장소라는 접점이 존재한다. 여행작가와 독자는 같은 장소, 같은 풍경을 공유한다. 그렇다면, 작가의 여행 중에서 무엇을 독자가 알고 싶어 할까? 여행기를 쓰려면, 여행기가 무엇이고 왜 여행기를 읽는지 이해해야 한다. 무엇이 독자의 심장을 뛰게 하는지, 어떻게 하면 떠나게 만들 수 있을까를 고민해야 한다.

세상의 확장

오래전에는 대부분의 사람이 자신의 세계 밖으로 나가보지 못했다. 고려, 신라 같은 고대에도 비단길을 넘어온 상인들이 있었고, 바깥의 어떤 미지의 세계가 있음을 모르지는 않았다. 자신의 지역에 갇힌 사람들에게 세계를 보여주는 창이 되어 준 것이 여행기였다. 평생을 나고 자란 땅에 갇혀 사는 사람들에게도, 여행기는 그어떤 문학이나 에세이보다 현실적이었고, 가슴 뛰게 만들었다.

나에게 처음으로 여행이란 단어를 각인시켜준 것은 프랑스 작가 쥘 베른의 소설 『80일간의 세계 일주』[1]였다. '세계 일주'는 어린 내가 알게 된 단어 중에서 가장 혁신적인 발명이었다.

'아! 모든 세상을 돌아볼 수 있구나!' 하고 가능성을 알게 된 것만으로도 세상이 확장되었다. 지금, 여기, 우리를 넘어 어딘가 다른 세상의 존재가 안개처럼 자욱하게 세상을 가득 메꾸고 있음을 처음 느꼈다. 새로운 것으로 가득 찬, 모르는 세상을 향해 안개를 헤치고 나가는 것을 상상만 해도 가슴 뛰었다. 다음에 여행이란 단

---

[1] 프랑스어 원제 (Le Tour du monde en quatre-vingts jours) 프랑스 작가 쥘 베른이 1873년에 쓴 고전 과학, 모험 소설
줄거리: 어느 날, 주인공 필리어스 포그가 매일같이 놀러 가는 사교 클럽에서 '데일리 텔레그라프' 신문의 기사가 화두에 오른다. 인도 철도가 새로 개통되어, 80일이면 세계를 일주할 수 있다는 기사였다. 회의적인 시선을 보내는 클럽 회원들에게 포그는 세계를 정확히 80일 만에 한 바퀴 돌아올 수 있다고 장담하고, 급기야 본인이 해내겠노라고 선언하고 전 재산을 건 내기를 하는 내용이다.
80일간의 세계 일주. (2023년 9월 14일). 위키백과. 04:58, 2023년 10월 10일에 확인
https://ko.wikipedia.org/

어를 '모험'으로 바꾸어 준 것은 만화로 방영되었던 마르코폴로의
『동방견문록』2)이었다. 마르코폴로와 그 아버지는 수많은 이상한
곳을 방문하고 설명할 수 없는 사건을 끊임없이 마주했다. 세상의
희귀한 지형들과 희귀한 습성을 가진 사람들, 납득할 수 없는 이상
한 전설 같은 이야기가 유독 많았다. 그런데, 이해하지 못할수록
매력적인 세상이 밖에 있다고, 모험하라고, 여행은 세이렌처럼 내
영혼을 홀렸다.

　　진짜 여행기를 접했던 것은 어릴 적 유행하던 한비야의 여행
기였다. 90년대에 여행 자유화가 되고, 여행 1세대인 한비야가 책
을 냈지만, 지금처럼 옆집 드나들 듯이 해외여행이 빈번한 시대는
아니었다. 한비야의 여행기는 새로운 시야와 모험, 자유와 도전을
다 담고 있었다. 책을 읽으면서 그렇게 작가에 동화되기는 처음이
었고, 행동하리라 결심한 것도 처음이었다. 처음으로 우물안에 갇
혀 있다는 것을 깨달았고, 우물과 같은 모양으로 하늘이 사각형이
거나, 동그란 모양으로 조각난 것이 아니라는 것, 무한하게 펼쳐져

2) (원제: 백만가지 이야기, 또는 세계 불가사의의 서) 구술적 설화 필사본
여행 문학 기행문
원어로는 일 밀리오네(Il Milione)로, 13세기 말엽의 이탈리아인의 아시아
기행담의 구술 필사 여행문학의 정수이자 화제작.
현대 역사학자들은 『동방견문록』의 객관적인 신빙성에 대해 의심을 품고 있다. 일
　설에 따르면 이 책은 마르코 폴로가 직접 체험한 것을 쓴 것이 아니라, 오히려
　다른 여행자들의 말을 듣고 기록한 것에 불과하다고 한다. 이 책은 당대의 전
　기소설 작가였던 루스티치아노가 마르코 폴로의 이야기를 듣고 대필했다.
동방견문록. (2023년 9월 8일). 위키백과. 04:56, 2023년 10월 10일에 확인 https://ko.wikipedia.org/

있다는 것을 알았다. 우물에서 나가서 언제나 올려다보는 하늘에 걸려있던 달과 구름이 사라지는 세계로 따라가 보고 싶었다. 하루 빨리 어른이 되기를, 언젠가는 달을 따라 끝없이 세상을 걸을 수 있기를 꿈꿨다. 이후에 한비야 여행기에 대한 여러 가지 논쟁들이 대두되면서 예전 같은 평가는 받지 못하지만, 여행기는 가슴 뛰게 하는 것이고, 꿈을 꾸게 하는 것, 행동하게 만드는 것임을 그때 알았다.

수많은 다른 책들의 지혜는 감동적이었고, 때로는 인생을 바꿀 만한 실마리가 되기도 했지만, '꼭', '나도', 하면서 결심을 다졌던 것은 여행기가 가장 강렬했다.

여행기의 이유도 시대에 따라 달라진다.

한비야 여행기를 접한 것은 '여행 자유화'가 이제 막 시작된 '시대의 지대한 관심' 때문이었다. 90년대 말에는 누구나 다 읽는 책이 여행기였다. 한비야와 우리 세대는 누구나 여행할 수 있었지만 1989년까지는 해외여행을 하려면 까다로운 조건에 맞춰 허가를 받아야 했다. 출장이나 취업처럼 목적이 분명해야 했고, '무역 영어 자격증'까지 있어야 했다니 누구나 여행할 수 없었다. 이것은 한국 만의 상황이었지만, 먹고 살기도 어려웠던 이전 세대들에게 여행은 꿈꾸기 어려운 사치였다.

 2000년대 초반 해외여행 붐이 시작되었을 때는 여행 가이드 북이 불티나게 팔렸을 것이다. 서양인들은 『론리플래닛』, 우리는 '프렌즈'나 '자신만만' 등의 이름을 단 여행 가이드북이 나왔다. 브랜드는 달랐지만, 여행자들의 손에는 가이드북이 항상 들려있었다. 스마트폰이 나오기 이전, 여행자에게는 현지 정보가 절실했다. 유명한 여행지의 여행자 거리에는 『론리플래닛』의 해적판을 어디서나 팔고 있었다. 여행자에게 가이드북은 생존 정보였고, 그 시대에 여행작가라고 하면 대부분 여행가이드북 제작에 참여한 사람들이 많았다. 이 시대만 해도 가이드북은 여행자의 성경이었다. 인기가 영원할 것만 같던 가이드북도 스마트폰이 생기면서, 무거운 짐짝 취급을 받게 되었다. 오래된 정보는 인터넷보다 정확성이 떨어졌고, 종이지도는 최적화된 길을 알려주지 않는다. 가이드북의 시대는 그렇게 끝나가고 있다.

 여행기도 시대의 변화에 따라 필요가 달라진다. 이제 여행기는 여행하기 힘들던 시대에 필요했던, 미지의 세상을 전하는 불가사의 한 이야기책도 아니고 스마트폰 없이 여행하던 때의 생존을 위한 현지 정보도 아니다. 여행기 한 권 읽는 것보다 떠나기가 더 쉬워진 요즘에도 여행 관련 도서는 여전히 인기가 있다. 오늘을 사는 사람들, 우리가 쓸 책을 읽을 독자들은 어떤 여행기를 읽고 싶어 할까?? 지금 여행기를 읽는 사람이 있다면, 지난 여행의 짙은 여운을 상기시키면서 이미 다녀온 여행지에 대한 이야기를 읽거나, 여행 전에 설레는 마음으로 여행 계획을 세우는 사람이 대부분이다. 우리 삶에서 여행이 달라졌듯이 여행기를 읽는 이유도 달라지고 있다.

덕분에 여행작가는 여행지에서 미스테리한 모험 이야기를 찾아 나서지 않아도 되고, 여행지에서 살아남기 위한 생존 정보와 꿀팁들을 정밀하게 기록할 필요도 적어졌다. 여행기를 쓰는 사람은 자신의 여행 경험을 어떻게 공감하게 만들 것인가, 여행기에서 말하고자 하는 것이 무엇인가 같은 메시지에 집중할 수 있게 되었다.

[여행기의 종류]

여행이라는 사실을 다룬 문학적인 글, 여행 문학을 다시 한번 더 사전에서 찾아봤다.

여행문학(旅行文學, 영어: travel literature) 또는 기행(紀行) 혹은 여행기(旅行記)는 여행하면서 겪은 일을 적은 문학 양식이다. 기행문은 쓰는 목적에 따라 견문을 적는 기행문과 특정 목적을 위한 답사기로 나누거나 글 양식에 따라 일기체, 편지체, 수필체, 보고체 기행문으로 나눌 수 있다. 그러나 어떤 종류의 기행문이든 견문을 소재로 하고 있다는 조건에는 변함이 없다.

여행문학. (2022년 3월 7일). 위키백과. 04:33, 2023년 10월 15일에 확인
https://ko.wikipedia.org/

여행기가 수필 중에서도 다른 카테고리 하나를 차지하고 있는 것은 여행을 다녀온 사실에 기반한다는 점이다. 정해진 형식은 없지만, 여행이란 공통분모를 가진 것이 여행기다. 일반적인 수필이나 시는 작가가 아무 데도 가지 않고도, 침대에서 눈을 떠서 문득 든 생각만으로도 얼마든지 이야기를 완결할 수 있지만, 여행기에서는 여행지라는 특정한 공간과 여정이 있어야 한다. (물론 여행의 여정이 없는 여행기도 많이 있다.)

여행기의 최소한의 형식이라고 한다면 여행의 동기나 이유, 여행의 여정, 여행의 마무리, 결말부가 되겠다. 소설이지만 『80일간의 세계 일주』만 봐도, 왜 세계 일주 내기를 하게 되었는지(여행의 동기), 어떤 방법으로 여행을 하는지의 과정(여정)을 다루고 있다. 결말에 이르러서는 주인공이 79일 만에 세계 일주를 완주하고, 내기에서 이기면서 끝이 난다. (여행의 마무리와 결말) 여행이라는 최소한의 전제는 있지만, 여행 자체가 목적도 방법도 수없이 다양하다. 여행기는 그 수많은 여행을 담아내야 하기 때문에 더 이상 형식은 의미가 없다. 여행이 자유의 또 다른 이름이듯이 여행기는 자유를 담는 자유로운 그릇이다. 자신만의 색을 담아서 자유롭게 여행기를 쓰면 된다.

1.일지 형식의 여행기

최초의 여행기는 여행을 기록하는 것에서 시작되었다. 쉽게 얻을 수 없는 여행의 기회를 기록하는 것은 여행자의 사명이었고, 일기 형식을 띤 일지가 최초의 여행기의 형태 중 하나다. 이런 여행기는 여행의 여정과 시간적 서사가 강조된 여행기이다. 대표적으로는 혜초스님의 『왕오천축국전』을 들 수 있다. 『왕오천축국전』은 8세기 초에 쓰여졌는데, 일지 형식으로 날짜와 장소를 기록한 덕에 정확한 여행 시기를 알 수 있다. 723년부터 727년까지 인도와 중앙아시아 지역을 여행했으며, 여행기가 쓰여진 날짜도 정확히 기록되어 있다.

이런 형식은 훨씬 후대의 여행기인 박지원의 『열하일기』에서도 볼 수 있는데, 제목에서부터 '일기'라고 규정하면서 형식을 분명히 했다. 여행 당시 박지원은 공직에 있는 상태는 아니었다. 그러나 여행의 목적이 공적인 성격: 중국 황제를 알현하고 오는 것이었기 때문에, 수행원으로 참여했던 박지원은 개인적으로 여정을 기록하였다. 박지원은 그날의 이동 거리, 머문 장소, 날짜, 날씨, 에피소드, 만난 사람들을 꼼꼼하게 기록했고, 현대적 여행기라고 봐도 될 만큼 개인적인 감상이나, 그 시대의 풍속, 물가, 여행 방법, 그때의 여행 사기 수법까지 자세히 기록했다.

이런 일지 형식의 여행기는 비교적 정확한 정보가 필요할 때 사용되는데, 요즘에도 공적인 여행이나, 연구목적의 탐사 등은 일지로 기록된다.

2. 사후에 대필 된 형식의 여행기

예전에는 개인의 여행이라 할지라도 자료로서의 가치가 높았다. 다른 국가를 여행한 사람 자체가 드물었기 때문에 여행 후에 대필 작가에 의해 기록되는 경우도 많았다. 이런 형식의 여행기는 오래된 여행기에서 많이 볼 수 있다. 초원길이나 비단길을 통해서 여행해야 했던 시대에는 여행 자체가 생명을 건 모험이었고, 길에서 야영하면서 밤을 보내는 일도 적지 않았을 것이다.

지금처럼 저녁을 식당에서 사 먹고 호텔에서 한가롭게 여행기를 쓰다가 잠들지는 못했을 것이다. 사막에서 모닥불을 지피고, 간이 천막을 치고 잠들어야 하는 밤에, 먹을 갈고 붓을 꺼내서 기록한다는 것은 쉽지 않은 일이다. 역참이나 여관 같은 시설을 이용했다고 하더라도, 걸어서 하는 여행자의 피로는 상상하지 못할 정도로 덮쳐왔을 것이다. 거친 잠자리에서 희미한 불빛에 의지해 기록을 남긴다는 것은 불가능한 미션처럼 보인다. 그렇기 때문에, 마르코폴로와 이븐바투다의 여행기는 거의 2~30년의 장기 여행을 마친 뒤에 기억을 더듬어 대필 작가에게 들려준 이야기를 기록했다.

사후에 기록된 여행은 오류도 있고, 순서도 바뀐다. 기록하는 이의 입장에서는 한 번도 본 적 없는 다른 나라 사람들의 차림새를 글로 묘사해야 하고, 대필 작가조차도 이해하지 못하는 다른 문화를 설명해야 하는 과정에서도 오류가 생겼을 것이다. 그러나, 다른 세계의 귀중한 정보를 수집하고, 세계를 확장하는 일이 중요했기 때문에 이 기록들이 남겨질 수 있었다.

기록의 문학 – 세계 4대 여행기

세계 4대 여행기[3]는 혜초스님의 『왕오천축국전』, 마르코 폴로의 『동방견문록』, 오도릭의 『동유기』, 이븐바투타 『여행기』 정도로 볼 수 있다. 세계에서 가장 오래된 여행기 중의 하나인 이 4대 여행기들은 여행을 넘어서 낯선 세상에 대한 기록이라는 자체가 중요한 의미를 가진다. 당대에 다른 나라의 생활상을 접하기 힘든 사람들에게 외부세계를 소개했고, 여행의 목적과 경로도 후대를 위해 기록으로 남겼다. 이 시대의 여행은 개인적인 목적을 넘어서 공적인 사명을 띤 경우가 많았고, 여행 경로가 정해져 있지 않던 시대에 여행경로와 이동방법, 현지 정보에 대한 기록은 다음 임무나, 여행을 위해서도 중요한 정보였다. 많은 여행기의 제목이 '기록', '이야기', '전하다'는 뜻의 '전', '록', '기를 쓴 것에서도 여행기의

---

3) 왕오천축국전. (2022년 10월 1일). 위키백과. 05:49, 2023년 10월 15일에 확인 https://ko.wikipedia.org/에서 찾아볼 수 있음.

뚜렷한 목적을 알 수 있다.

대필로 쓰였거나, 일지 형식이 여행기는 기록에 더 중점을 둔 기록의 문학이었다. 여행은 현대가 되기 전까지는 누구나 할 수 있는 것은 아니라서 기록의 중요성은 더 컸다. 여행하지 않더라도 국제 정세의 변화를 이해해야 하거나 무역을 해야 하는 권력층은 다른 지역을 이해할 필요가 있었고, 일반인들에게는 또 다른 신기한 이야기로 소비되었다.

기록이 중요한 여행기를 쉽게 이해하려면, 외계행성을 처음 방문하는 상상을 해 보면 이해하기 쉽다. 지구에서 출발해서 화성을 방문하는 첫 인류가 된다면, 누구라도 기록할 필요를 느끼게 된다. 별다른 특별한 일이 일어나지 않더라도, 선구자로의 귀중한 경험을 기록하지 않을 사람은 없다. 오래전 여행자들도 외부세계를 넘나드는 개척자이면서, 관찰자로서 사명감을 가지고 기록을 남겼을 것이다.

3. 가이드북 형식의 여행기

소수의 특별한 사람만 여행하는 시대에서, 부자들만 여행하는 시대를 지나서, 현대에는 여행이 모든 사람의 것이 되었다. 누구라도 자유롭게 여행하는 시대에는 기록의 중요성이 달라진다. '태국에서 코끼리를 보았다.'라는 사실은 세계 4대 여행기가 쓰여진 8-15세기 사이에는 흥미로웠겠지만, 요즘에는 코끼리를 보겠다고 태국으로 가는 사람은 거의 없을 것이다. 이제는 코끼리보다 맛집이나 좋은 숙소처럼 내 여행에 도움이 될 실질적인 정보를 더 궁금해한다. 그래서, 가이드북이 가장 인기 있는 여행 서적이 되었다.

여행 가이드북은 여행기라기보다는 여행자를 위한 중요정보를 모은 백과사전에 가깝다. 특정 도시나 국가에 대한 여행 정보만을 다루기 때문이다. 우리에게 맛집 가이드로 잘 알려진 『미슐랭 가이드』도 미쉐린 타이어에서 나눠주던 여행 가이드북에서 출발한 것은 유명하다. 자동차 운전자들에게 무료로 나눠주던 『미쉐린 가이드북』은 1900년에 처음으로 출간되었고, 여행자의 바이블이라고 할 수 있는 『론리 플래닛』은 1972년 자가출판으로 출간되었다. 우리나라의 해외여행이 자유화된 것이 1980년대인 것을 생각하면, 누구나 원하면 떠날 수 있는 자유를 가지게 된 것은 기껏해야 4~50년 남짓이라고 볼 수 있다. 이때부터 쭉 가이드북은 여행자들의 바이블이었다. 여행 소설이나 여행 에세이를 읽으면서 여행을 꿈꾸다가, 출발할 때는 가이드북으로 바꿔 들고 출발했다. 2000년대 이후부터는 누구나 여행으로 자신의 세계를 확장하는 '대여행의 시대'라고도 볼 수 있을 것 같다.

자가출판으로 성공한 『론리 플래닛』

가이드북 중에서 주목할만한 책은 역시 『론리 플래닛』이다. 론리플래닛은 1972년에 토니 휠러와 로린 휠러 부부가 『Across Asia on the Cheap』이라는 이름으로 타자기로 타이핑하고, 스테이플로 묶어서 주방에서 수작업으로 제작했다고 밝히고 있다.4) (전세계적으로 가장 인기 있는 가이드북도 처음에는 자가출판으로 제작된 것을 생각하면, 자가출판은 좋은 아이디어를 가진 무명작가들에게 또 다른 기회가 될 것이다).

『론리 플래닛』의 성공은 여러 가지 의미가 있는데, 제목, 『Across Asia on the Cheap』부터 여행의 대중화 시대가 열렸음을 시사한다. 싸게 여행을 하고 싶다는 제목 자체가, 여행이 더 이상 부자들만의 것이 아니며 대중화되었다고 선언한 것이나 마찬가지다. 70년 먼저 출간된 『미쉘린 가이드북』만 해도 1900년대에 자동차가 있는 부자들이 대상이었다. 70년 사이에 일반인도 대중교통을 이용해서 여행할 수 있게 된 것이다. 『Across Asia on the Cheap』은 런던에서 출발한 휠러 부부가 어떻게 낯선 아시아를 저렴하게 다녀왔는지에 대한 실질 정보를 담은 책이다. 교통편, 출입국 서류, 비용 등의 정보를 담은 『론리 플래닛』의 원형이다. 초판으로 제작한 1500부가 일주일 만에 다 팔리면서, 『론리 플래닛』은 이때

---

4) (1973). *Across Asia on the Cheap* (lonely planet:3p) 현재 재판매되고 있으며, 구글 북스에서 e북을 무료로 다운받아 볼 수 있다.

부터 여행자들의 나침판이 되었다.

다른 중요한 지점은 독립출판물이며 자가출판물이라는 점이다. 직접 타이핑을 하고, 디자인해서 수제작으로 시작했으나, 결국 <론리플래닛>이라는 여행 전문 출판사를 만들 정도로 초대박을 쳤다. 독립출판물이 시대의 요구를 정확하게 읽으면 어떤 파급력이 있는지를 『론리 플래닛』이 증명했다. 다음번 여행기의 성공은 어떤 형태인지는 알 수 없으나 '대 여행의 시대'에 여행 이야기는 다양한 형태로 끊임없이 읽힐 것은 틀림없다.

여행 가이드북은 다양한 정보를 수집해야 하는 특성 때문에, 많은 작가가 동시에 참여해서 제작한다. 가이드북의 인기는 문학적인 글 대신에, 기사에 가까운 실용적인 정보를 수집하는, 작가와 저널리스트 중간에 있는 여행작가라는 새로운 작가군을 탄생시켰다. 여행가이드북을 개인이 쓰기는 어려워서 다루지 않을까 고민했으나, 여행작가와 뗄 수 없는 분야이기 때문에, 여행가이드북을 여행도서의 한 종류로 분류하였다.

4. 여행 사진집, 여행 사진 에세이

여행은 다른 글과 다르게 글만으로 전체를 설명하기에 부족함을 느끼기도 한다. 더군다나 우리 삶 전체에 미디어가 끼어들어서, 그림과 영상으로도 많은 정보를 수집하게 되었다. 디지털카메라와 스마트폰이 나오면서 일반인들도 어디서나 쉽게 질 좋은 사진을 찍을 수 있게 되면서, 사진만으로 구성된 여행 사진집, 사진과 글의 비중이 비슷한 여행 사진 에세이도 출간할 수 있게 되었다.

사진집에도 특징적인 점이 있다. 사진의 특성상 피사체, 사진에 찍히는 사람이 연예인이거나, 촬영자인 사진작가가 유명한 사람인 경우가 많다. 촬영장소가 의미 있거나 특별한 기록이라면 일반인이 찍은 사진도 주목받을 수 있다. 사진에 대해서는 전문가가 아니기도 하고, 이런 형태의 여행도서도 출간할 수 있다고만 밝혀 둔다.

시대가 달라지고, 스마트폰 사진의 해상도가 좋아지면서, 개인이 핸드폰만 가지고 사진집을 내는 것이 가능하고, 사진집을 쉽게 만들 수 있게 해주는 앱이나 플랫폼도 많아졌기 때문에 소개해 둔다.

5. 여행 에세이

절대 식을 것 같지 않던 인기를 구가했던, 가이드북 『론리 플래닛』도 적수를 만났다. 두께가 한 뼘이나 되고, 그림 하나 없는 설명에도 여행자들의 오랜 사랑을 받았으나 겨우 3~40년 만에 200g짜리 스마트폰에 자리를 내줬다. 종이로 된 여행 책자들은 더 이상 실시간으로 업데이트되는 온라인 여행 정보를 따라가기 힘들었고 무거웠다. 여행 가이드북은 여전히 잘 팔리고 있지만, 여행자들은 가이드북 대신에 스마트폰을 들고 다니게 됐다. 여행 가이드북은 이제 <트립 어드바이저> 같은 여행 정보 플랫폼에 밀려서 인기가 시들해졌다. 『론리 플래닛』은 3년마다 개정된다고 하는데, 3년 전 여행 정보로 여행하고 싶어 하는 사람은 없다. 실시간으로 소통하는 여행자 단톡방도 흔한 세상에서 가이드북은 여행지 전체에 대한 이해를 돕고, 여행 전에 사전 준비를 하는 여행 백과사전에 가까워졌다.

이제 사람들이 보고 싶어 하는 여행 이야기가 정보는 아니다. 예전의 여행이 익숙한 세상의 담장을 넘는 세상을 향한 도전과 모험이었다면, 지금 세대에게 여행은 일상적이며, 휴식이고, 각자 다른 이유로 좋아서 떠난다. '나를 찾아' 떠나는 대신에, '나' 답게 여행하는 시대가 되었다. 이 점에서 '여행 에세이'는 그 어느 때보다도 더 개인적이면서 문학적인 장르가 되었다. 김영하 작가의 『여행의 이유』가 폭발적인 사랑을 받은 것도 여행책에서 얻고 싶은 것이 달라졌다는 증거다.

이제야말로 여행이라는 공통점으로 묶이면 어떤 삶의 이야기도 여행기가 될 수 있다. 일지처럼 꾸준히 기록하는 여행기나 정확한 여행 정보를 담아야 하는 가이드북에 비해서 여행책을 내기가 한결 쉬워진 것 같지만 절대 그렇지 않다. 이제 사실 말고, 작가로의 관찰력과 시야를 여행자들에게 빌려줘야 하게 되었다. 낯선 세상을 자세히 관찰하고 삶을 관통하는 통찰을 끌어내는 것은 쉬운 일이 아니고, 공감을 얻기는 더욱 쉽지 않다. 세상을 바라보는 작가적 시야로 여행을 써야 하는 지금의 여행기는 인문, 역사, 지리, 예술적 배경 지식은 물론 인간적인 매력까지 모두 필요하다.

여행 에세이는 누구나 쓸 수 있고, 그 어느 때보다 자유로운 형식을 취할 수 있지만, 우리 시대를 대표하는 최고의 여행기는 아직 나오지 않았다고 해도 과언이 아닐 정도로 여행문학의 정수가 될 것이다. 인류 역사 최초로 누구나 자유롭게 여행할 수 있게 된 '대 여행의 시대'를 장식하고, 영원한 여행기의 고전이 될 책이 앞으로 나올 것이라고 확신한다. 가장 문학적이고, 가장 깊이 삶을 관통할 여행 에세이의 시대가 이제 막 시작되었다.

시키는대로 책쓰기 3

여행작가의 기록법

여행책 쓰기

[본격적인 여행 책쓰기
여행 전]

[본격적인 여행책 쓰기
여행 전]

　이미 다녀온 여행을 소재로 쓴다면 어쩔 수 없지만, 여행 전부터 책쓰기를 계획 중이라면, 미리 몇 가지 정도를 생각 보면 책을 쓸 때 훨씬 수월해진다. 처음 책을 쓰려고 마음먹을 때는 소박한 마음으로 시작하지만, 원고를 쓰다 보면 많은 독자를 만나고 싶고, 당연하게도 공들여 쓴 책이 좀 더 의미 있기를 바라게 된다.

　그래서, 본격적으로 원고를 쓰기 전, 여행을 시작하기 전에, 책의 방향을 구상해보는 것이 도움이 된다. 책의 컨셉이나 기획에 따라서 여행 일정을 수정하거나 여행 중에 글을 써 두는 계획을 세울 수도 있다.

1. 책의 목적

현실적으로 책을 쓰는 목적

자가출판은 책을 내는 비용 부담이 없다는 이점이 있지만, 많은 독자를 만나기는 쉽지 않다. 책이 쉽게 잘 팔리거나, 어느 날 갑자기 유명작가가 될 가능성도 희박하다. 잘 팔리지 않는 책을 쓴다는 것은 아이러니하게도 하고 싶은 아무 말이나 쓸 자유가 생긴 것이다. 때문에, 우리가 쓸 책은 쓸모없어 보이는 개인적인 여행 이야기부터, 너무 전문적이라서 상업성 없는 이야기, 한 번도 들어본 적 없는 여행 음식들과 누구도 가 볼 것 같지 않은 오지 이야기에서부터, 이제는 그만 나와도 되겠다 싶은 평범한 도시 이야기까지, 하고 싶은 모든 이야기를 모두 쓸 수 있다.

쓰고 싶은 대로 쓰는 대신에, 왜 책을 쓰고 싶은지는 생각해봐야 한다. 개인적인 여행을 기록하는 데 의미를 둘지, 여행 정보를 중점적으로 다룰지, 그냥 글 쓰는 자체가 좋은지, 많이 팔고 싶은지, 이력에 도움이 되기를 바라는지 생각해봐야 한다. 목적에 따라서 책의 모든 부분이 달라지기 때문이다.

여행을 계획하는 김에 여행 에세이를 쓰려고 하지만, 직업과 연결되는 실용서를 써야 할 필요가 있다면, 여행기에 관련 분야의 주제를 중심으로 쓸 수도 있다. 경제학자라면 여행지의 마트나 재래시장을 둘러보면서, 그 나라나 지역의 제조업, 자체 브랜드, 산업 구조 등과 연관된 내용을 쓸 수도 있고, 예술가라면 박물관이나 미술관, 건축물에 대해서 쓸 수도 있다. 여행기로 다룰 수 없는 분야는 거의 없고, 여행을 매개로 어려운 경제, 정치, 예술 분야를 설명하면 독자가 훨씬 가볍고, 재미있게 읽을 수 있다. 작가도 본격적인 실용서나 전문서적을 쓰기 전에 부담 없이 관심사에 대해 쓰면서, 자연스럽게 글쓰기 훈련이 된다.

'에세이'라는 질문

에세이를 쓰고 싶어 하는 사람들은 대부분 일상에서 스쳐 가는 감정과 아이디어가 잊혀지는 것이 아쉬워서 시작하는 경우가 꽤 많은데, 여행은 낯선 환경과 다양한 경험 덕분에 평소보다 예민하게 모든 것을 느끼고 받아들인다. 에세이를 쓰기에 최적의 환경이라 할 수 있다. 에세이의 가장 큰 자산은 작가의 내면에 있는데, 신기하게도 번뜩이는 아이디어는 강렬하지만, 순식간에 연기처럼 사라진다. 여행 에세이로 철학적이거나 문학적인 글을 쓰고 싶다면, 수시로 메모를 하면서 철저하게 세상과 자신을 관찰할 준비를 해야 한다.

여행기의 기본에 충실하면서 여행을 기록하고 여행지에 대한 추억이나 정보를 공유하고 싶다면, 미리 숙소나 식당, 여행경비 등을 꼼꼼히 기록할 준비를 해야 하고, 여행지에 대한 사전 조사도 필요하다. 특정한 장소를 중심으로 쓰여진 여행기는 수없이 많으므로, 경쟁력을 가지려면, 더 꼼꼼히 기록하고, 더 부지런히 여행하면서 에피소드를 만들어야 한다. 바쁜 여행자가 황당한 사건을 많이 만나고, 추억을 만든다.

어떤 목적으로 어떤 메시지를 담느냐에 따라 여행 에세이는 그 무엇도 될 수 있을 만큼 넓은 스펙트럼을 가지고 있다. 책 한 권을 써내는 일은 결코 쉬운 일이 아닌데, 완성된 책 한 권이 충분히 여러 목적을 달성하고도 아쉬운 마음이 들지 않도록, 자신에게 물어야 한다. 결국, 이 질문의 답은 책의 운명과 수명을 결정하게 되는 중요한 질문이며, 작가에게 '왜 쓰는가'를 묻는 궁극적인 질문인 것이다.

책을 쓰고 싶은 이유가 무엇인지?
어떤 메시지를 담고 싶은지?
완성된 책으로 무엇을 얻고 싶은지?

2. 사전 기획

책을 쓰는 목적에 대한 답을 얻었다면, 목적에 맞는 책을 구상할 때다. 앞서 기획에 대해서 설명했듯이 책의 분위기, 주제, 책의 형태 등을 구상하는 단계다. 여행 전에는 책의 형태까지 구체적으로 결정할 필요는 없지만, 책의 주제, 테마는 정하는 것이 좋다. 필요한 사진을 찍고, 중요한 장소를 방문하는 것은 여행이 끝나고 나면 할 수 없게 되기 때문인데, 책의 성격에 따라 방문지를 조정해야 할 수도 있고, 사전 기획이 굳이 필요 없는 책도 있을 수 있다.

쉬운 방법은 쓰고 싶은 종류와 비슷한 책을 찾아보는 것이다. '맛집 기행'에 대한 책을 쓰고 싶다면, 유사한 책을 찾아보고, 어떤 사진이 필요하고, 꼭 방문해야 하는 곳이 있는지, 꼭 기록할 것은 무엇인지를 확인하는 정도면 된다.

3. 여행 전 기록

책에 대한 그림이 그려졌다면, 여행 전에 미리 써야 하는 부분을 쓰면 좋다. (책을 쓰기로 결심했다면, 여행 전이든 여행 중이든 시간이 날 때마다 꾸준히 글을 써야 한다. 특히 첫 책을 쓸 때는 꼼꼼히 기록하고, 많이 쓰고, 많이 고치는 것이 매우 중요하다.)

여행 전에 써야 할 것에는 '기록할 것'과, '쓸 것'으로 나뉜다. '기록할 것'은 여행 준비 과정이나, 여행 계획, 여행비용 같은 여행기를 쓰는데 자료가 될 기록들을 만드는 일과 앞으로 여행에서 에너지를 많이 들이지 않고도 쉽게 기록할 수 있는 포맷을 미리 만들어 두는 것이다. 책의 성격에 따라 여행비용 같은 자료는 직접적으로는 사용되지 않을 수는 있지만, 직접 쓰지 않더라도 기억을 보완하는데 꼼꼼한 기록만 한 것이 없다.

여행 준비 과정, 비용, 계획하는 일정 등

여행 기록

좋은 여행기가 꼭 더 꼼꼼한 기록을 담은 여행기는 아니지만, 기록이 자세할수록 작가의 기억이 생생해지고 여행기를 쓰는 데 도움이 된다. 여행 중에는 바쁜 일정과 예기치 않은 상황을 만나고, 피로와도 싸워야 하기 때문에, 여행 전에 여행을 어떻게 기록할 것인가 계획을 세워두면 좋다.

여행 중에 기록해야 할 사실은 몇 가지가 있는데, 여행지에 대한 기초정보처럼 정보성 사실과 여행 과정에서 기록해야 하는 데이터(방문 장소, 날짜와 시간, 비용 등) 여행에서 일어난 일을 정확히 기억할 수 있도록 도와주는 기록이다.

여행 기초정보 양식 준비하기

'여행 기초정보'는 장소에 대한 기본정보라고 생각하면 되는데, 주로 가이드북에서 많이 볼 수 있다. 각 도시의 크기나 인구, 역사, 비자 정보, 전압과 같이 기본정보와 여행자가 알아두어야 하는 정보를 포함한다. 여행 에세이를 쓸 때는 꼭 여행지 기초정보는 책에 쓰지 않을 수도 있고, 꼭 기록하지 않아도 책을 쓰는 데 문제는 없다. 다만, 기록해두면 여행지와 여행 자체를 이해하는 데 도움을 준다. 만약 책을 쓸 생각을 하지 않았더라면, 굳이 몰라도 되는 정보, 가이드북에 있어도 찾아보지 않았던 정보지만, 여행책을 쓸 때는 다양한 자료를 미리 준비하고, 사용 여부를 결정해야 한다.

작가는 독자를 여행에 초대하는 가이드다. 전문 여행 가이드처럼 역사와 문화를 설명할 필요는 없지만, 그곳에서만 먹을 수 있는 음식을 소개하면서, 왜 특산물이 되었는지 이유까지 이해한다면 같은 설명도 더 설득력을 가진다. 풍경과 사람들의 모습, 날씨에도 다 이유가 있다. 또, 여행작가의 중요한 책무가 있는데, 책을 쓸 때 지명이나 사물의 이름은 최대한 정확하게 기재해야 한다. 익숙한 이름이라면 문제가 없지만, 외국어나 다양한 이름으로 불리는 비슷한 음식 이름 등은 기록해둬야 나중에 검색해서 정확한 이름을 기재하기도 쉽다.

'여행 기초정보'는 도시나 국가에 대한 인문 사회적 기본적인 정보와 여행자에게 필요한 정보를 수집한다고 보면 된다. 정확한 국가명이나 도시 이름부터, 인구와 도시의 규모 등 여행지를 이해할 수 있는 기초자료, 차별점과 함께 여행자에게 필요한 여행 정보를 기록하면 된다.

여행 에세이라고 가이드북처럼 여행 정보를 제공하지 말라는 법은 없다. 여행 에세이를 읽는 사람에게 배경 정보를 제공하고, 여행을 떠날 사람이 참고할 수 있도록 정보를 제공하는 것은 어렵지 않다. 그러나 첫 책을 쓰면서, 이 모든 것에 신경 쓰기는 어렵다. 여행 에세이를 쓸 때 활용할 수 있도록, 여행경로, 국가, 도시, 여행 준비물 등의 간단한 양식을 정리해 두었다. 모든 항목을 채워 넣을 필요는 없지만, 간단하게라도 글과 관련된 정보를 제공하면, 독자가 우리의 여행 속으로 따라나서기 쉬울 것이다.

[여행기에 활용하면 좋은 양식]

1. 여행 준비물 양식

여행 준비물은 우리가 쓸 대부분의 여행기에는 필요 없다. 여행 정보를 많이 다루는 책이거나, 특정한 지역을 소개한다면 필요할 수 있어서 싣는다. 대표적으로는 블로그에 연재했던 정보성 짙은 여행기를 모아서 책으로 만든다던가, '제주도로 자전거 일주 여행'이라는 책을 쓴다면, 다른 책들보다는 여행 준비물을 소개하는 것도 도움이 된다. 여행 준비 과정이 중요한 책에 활용하면 좋겠다.

준비물의 내용은 예시로 필요한 내용을 적절히 추가해서 사용하면 된다.

1. 여권 & 여권 사본	2. 의류
☐ 항공권 티켓	☐ 속옷
☐ 각종 바우처 및 티켓	☐ 잠옷
☐ 지갑 & 동전 지갑	☐ 양말
☐ 신분증	☐ 운동화 / 샌들
☐ 증명사진 2~3매	☐ 슬리퍼(숙소용)
☐ 현금	☐ 여분 옷
☐ 신용/체크카드	☐ 모자
☐ 국제학생증	☐ 수건
☐ 국제면허증	☐ 수영복
☐ 여행자 보험증명서	☐ 비치타월
	☐ 스포츠 타월

3. 세면도구 / 화장품	4. 각종 기기
☐ 기초화장품	☐ 멀티탭
☐ 색조화장품	☐ 충전 케이블
☐ 자외선 차단제	☐ 보조배터리
☐ 칫솔 & 치약	☐ 셀카봉 / 셀카렌즈
☐ 샴푸 & 린스	☐ 카메라 / 액션캠
☐ 바디워시 & 샤워볼	☐ 삼각대
☐ 면도기/눈썹칼	☐ OTG

☐ 클렌징 용품	☐ 멀티 어댑터
☐ 여성용품	☐ 블루투스 스피커
☐ 면봉 / 화장솜	☐ 이어폰
☐ 손톱깎이 / 쪽집게	☐ 유심 / 포켓 와이파이
☐ 빗	
☐ 치실	

5. 기타 준비물	
☐ 여행서적 / 지도	☐ 비상식량 /
☐ 와이어 자물쇠	☐ 라면스프 / 육수팩
☐ 각종 상비약	☐ 물티슈
☐ 지퍼백 / 위생백 / 일회용 수저	☐ 헤어드라이어
☐ 일회용 젓가락 / 숟가락	☐ 안경 / 렌즈
☐ 옷걸이	☐ 필기도구
☐ 의류 압축팩	☐ 쿨링시트
☐ 집게 & 빨랫줄	☐ 모기향 / 모기약
☐ 물놀이 용품(구명조끼 / 튜브 / 물안경 등)	☐ 우산 / 우비
☐ 선글라스	☐ 휴대용 선풍기

2. 여행경로 양식

여행의 경로를 시각적으로 보여주는 것은 독자의 이해를 돕는데 효과적이다. 장기 여행에서는 시간의 흐름까지도 함께 보여줄수 있어서 독자에게 맞춤형 지도를 제시한다. 대부분 책의 도입부에 삽입해서 여행의 그림을 이해시켜주고, 책을 읽는 도중에도 여행을 쉽게 이해하는 네비게이션 역할을 한다.

여행경로는 책의 성격에 따라서 도식적으로 표현해도 되고, 지도상의 지점을 잇는 방식으로 표현해도 된다. 여행경로와 함께 이동 거리나 시간, 체류 기간 등을 함께 표기해도 좋다. 여행경로를지도상에 표시하고 싶을 때는 저작권에서 자유로운 지도를 사용해야 한다. <국토 지리 정보원>에서는 국내지도와 세계지도를 JPG파일과 PDF 파일로 제공한다. 목적에 충실한 지도이다 보니 디자인적으로 아름답지 않아서 사용이 어렵다면, 역시 <국토 지리 정보원>에서 외곽선만 있는 '백지도'를 다운받아 사용해도 된다.

저작권 없는 지도 다운로드
국토 지리 정보원
https://www.ngii.go.kr/
국토 지리 정보원 / 백지도 다운로드
https://www.ngii.go.kr/child/content.do?sq=149

여행경로

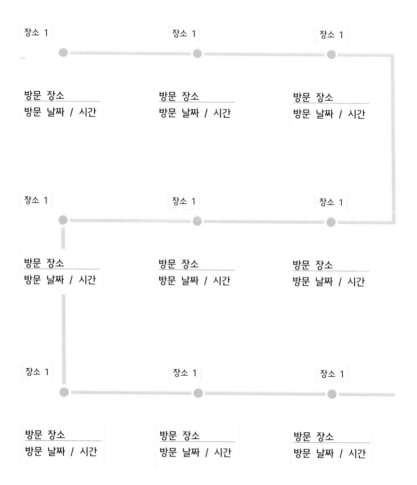

장소 1

방문 장소
방문 날짜 / 시간

장소 1

방문 장소
방문 날짜 / 시간

장소 1

방문 장소
방문 날짜 / 시간

장소 1

방문 장소
방문 날짜 / 시간

장소 1

방문 장소
방문 날짜 / 시간

장소 1

방문 장소
방문 날짜 / 시간

장소 1

방문 장소
방문 날짜 / 시간

장소 1

방문 장소
방문 날짜 / 시간

장소 1

방문 장소
방문 날짜 / 시간

기록을 위한 여행경로 표

도착 일시	도시명	숙소명/지역명	교통수단/ 이동시간	이동비용

3. 국가, 도시 기초정보 양식

도시나 국가 페이지 양식을 작성한 것은, 여행책을 쓰는 작가가 자신의 여행을 잘 이해하고 여행기를 썼으면 하는 바람이었다. 독자로서는 여행 에세이라 하더라도 대부분 방문했거나 방문할 예정인 관심 지역에 대해서 읽기 마련인데, 대부분의 여행 에세이들이 독자들은 준비가 안 됐는데 다짜고짜 여행을 시작하는 경우가 많았기 때문이다. 이 책을 읽고 책을 쓰는 작가라면, 낯선 지역에 대한 상식 수준의 기본정보를 제공하면서, 책의 짜임새를 높였으면 하는 바람이다.

모든 항목을 꼭 포함할 필요는 없고, 책의 성격의 따라 필요한 내용을 가감해서 사용하면 된다.

국가 기초정보

국가 이름	
지도-국기	의미나 관련 이야기
수도	정확한 이름
언어	

통화	시점과 기준환율
시차	
면적	한국의 몇 배
기후	기후적 특성, 여행하기 좋은 시기
인종구성	인종적, 민족적 특성,
인구	한국의 몇 배,
종교	
GDP	
비자	비자 필요 유무, 여행 비자 기간이나 비용
예방접종	
전압	
팁 문화	
국가번호	
통신사	대표 통신사나 여행자를 위한 유심 상품
대표 영화	
대표 문학	
유명인	
문화적 상징	
대표 축제	
대표 음식	
주요 관광지	
추천 체류기간	

도시 기초정보

국가이름	
도시페이지	의미나 관련 이야기
소속 주	정확한 이름
주도	
면적/고도	시점과 기준환율
기후	
인구	한국의 몇 배
종교	기후적 특성, 여행하기 좋은 시기
치안	인종적, 민족적 특성,
교통	한국의 몇 배,
인근도시	
가볼만한 곳	비자 필요 유무, 여행 비자 기간이나 비용
랜드마크/	
대표 영화	
문학/음악/문화	
유명인	
문화적 상징	대표 통신사나 여행자를 위한 유심 상품
대표 축제	
관광지 소개	
관광지 이름	

내용

입장료

오픈시간/휴무일

교통

근처 관광지

사이트/주소

평균 관람시간

준비물

4. 여행 전 쓰기

여행 전에 써야 하는 글들도 있다. 여행은 기대와 실재가 가장 쉽게 어그러지는 계획대로 되지 않는 일이다. 여행은 예측을 허용하지 않기 때문에, 여행 전 기대와 예상을 적어두는 것이 중요하다. 쉽게 생각해서 절친과 함께 여행을 떠났는데, 여행 후 사이가 나빠질 수도 있다. 그렇게 되면 여행을 마친 후에는 친구 사이에 대한 생각이 달라진다.

여행 전에 쓰는 글은 절대 이전으로 돌아갈 수 없는 상태에 대해서 써두는 것이다. 망고를 먹어 본 적이 없는 사람이 태국 여행 전에 망고 맛에 대해서 미리 써두는 것이다. 이상하게도 망고를 맛보고 나면 그전에 무슨 생각을 했었는지 절대 기억하지 못한다. 여행 전의 기대와 설렘 역시 여행지에서 보낸 아름다운 시간, 함께 만든 추억에 덮여서 쉽게 지워진다. 때로는 현실보다 꿈이 더 아름답다. 여행을 아직 꿈으로 가지고 있을 때 쓰는 것은 분명 다른 점이 있다.

미리 쓸 것으로는 여행의 동기와 의미, 여행의 목적, 동행하는 사람과의 이야기, 여행 준비 에피소드, 여행의 계획과 기대를 틈틈이 써두면 좋다. 여행 준비를 하면서 글을 쓴다는 것은 어려운 일이지만, 짐을 싸다가 어지러워진 집안에 털썩 주저앉아서 지쳐갈 때, 꼭 이 글을 기억해내면 좋겠다. 여행 준비의 어려움과 아무런 도움도 되지 않는 동행과의 관계, 힘들지만 설레는 마음은 꼭 번잡한 현실 한가운데서 써야 한다.

여행의 힌트

여행의 동기와 목적, 동행, 준비 과정들은 쓰다 보면, 하나로 합쳐지면서 이야기의 시작부가 된다. 같은 장소라도 연인이나 친구와 함께 가는 것과 가족과 함께 가는 것은 완전히 다르다. 퇴사하고 떠나는 바다와 신혼여행으로 가는 바다는 완전히 다른 의미다. 같은 바다를 보고도, 답답한 마음을 달래주는 파도 소리를 들을 수도, 끝없이 빛나는 수면을 보면서 찬란하게 펼쳐진 미래를 볼 수도 있다. 만약 다짜고짜 아름다운 바다 앞에서 쓸쓸한 파도 소리가 들리냐고 묻는다면, 독자는 당혹스럽다. 작가가 누구와 왜 떠났는지를 이해하면 독자가 글로 보는 바다도 쓸쓸해지기도 하고 찬란히 빛나기도 한다.

한 번은 엄마가 긴 배낭여행을 해 보고 싶다고 해서 여행을 떠났다. 부모님을 모시고 가는 여행은 모든 것이 다르다. 가장 먼저 마음을 다잡았다.

'무슨 일이 있어도 화내지 말아야지',

'아무리 화가 나도 큰소리 내지 말아야지'

여행하는 동안에도 현지 사정을 잘 모르는 엄마는 상점에서 너무 시간을 끌거나, 농장을 방문해서 직접 열매를 따게 해달라고 조르기도 해서, 상황을 부드럽게 해결하느라 내 영어 실력이 늘었다. 응대하는 직원들의 맘도 달래고, 엄마의 추억도 지켜주기 위해서 언제나 팁은 두둑이 준비했다. 어쩌면 다시는 기회가 없을지도 모르는 엄마의 장기 여행을 좋은 추억으로 만들어 주고 싶었다. 그런데도 입맛에 맞지 않는 음식과 계속되는 피로는 없는 짜증도 만들어냈다. 외국인들과 뒤섞여 투어라도 하면 잔뜩 움츠러든 엄마에게 더 살갑게 쓸데없는 말도 걸고, 사진도 더 찍어줘야 했다.

엄마와 나는 사이가 좋아서 함께 여행하게 됐을까? 아니다. 몇 년 동안 서로 소식도 전하지 않고 지내다가, 그 무렵 사이가 좋아졌다. 마침 일도 잘되는 중이어서, 이번 기회에 쌓인 감정도 풀고, 추억도 만들고 싶었다. 사이가 나쁜 가족끼리 떠나는 여행은 사뭇 비장하고, 대단한 각오가 필요하다. 좋은 곳, 맛있는 음식 앞에서도 언제 터질지 몰라 조마조마하다. 마치 조스가 덮치기 전 해변처럼 아름답지만 고요한 긴장 속으로 독자들을 불러올 수 있는 것이 여행 전에 써야 할 것들이다.

엄마와 내 사이가 나쁘다는 것을 알고 읽으면, 여행기는 한편의 스포츠가 된다. 누구는 엄마 편에서, 누구는 내 편에서, 쉽게 감정싸움에 동화되고 '나는 안 그래야지' 하면서, 우리의 여행에 동행하게 된다.

누구와 함께하는지, 왜 떠나는지, 여행 준비 과정은 어땠는지를 쓰는 것은 독자가 납득할 수 있는 원인을 제공하면서, 여행이 앞으로 어떤 해법을 제시할지 함께 궁금해할 수 있다.

왜 여행을 떠나기로 결정했나요?
이번 여행의 목적이 있습니까?
누구와 떠납니까?
동행과는 어떤 사이입니까?
(혼자라면, 어떤 여행을 꿈꾸고 있습니까?)
여행 준비 과정에서 별다른 일은 없었나요?
여행 계획에서 중요한 것은 무엇입니까?

시키는대로 책쓰기 3

여행작가의 기록법
여행책 쓰기

[본격적인 여행 책쓰기
여행 중]

본격적인 여행책 쓰기
여행 중

여행 중에도 글을 써도 된다.

책을 쓸 계획이 없어도, 여행 중에 일기를 쓰거나 기록을 남기는 사람은 많다. 책을 쓸 사람에게는 여행 중일 때가 가장 한가한 시간이다. 어떤 내용이든 틈틈이 시간을 내서 글을 써두면 책을 쓸 때 부담이 줄어든다. 현실적으로는 책을 쓰는 것은 생각보다 시간과 노력이 많이 들어가는 일일 뿐만 아니라, 여행에서 돌아오면 밀린 일상이 단단히 벼르고 있어서 책을 쓰는 일에만 집중할 수 없게 된다.

여유가 있을 때, 미리 글을 써두면 여행도 즐기고 책도 즐겁게 내는 방법이 된다. 돌아다니느라 바빠서 글 쓸 시간이 나지 않는다면, 비행기나 버스를 타러 갈 때 몇 시간씩 일찍 나가는 방법도 있고, 평소에 가지 않는 비싼 카페 좋은 곳에 자리를 잡는 방법도 있다. 차편을 기다릴 때는 어쩔 수 없이 기다려야 해서 글을 쓸 수밖에 없고, 다양한 사람을 구경하는 것은 아이디어를 얻는 데도 도움이 된다. 비싼 카페의 명당자리는 여행 기분을 만끽하기에도 좋고, 본전을 찾으려면 괜히 분위기를 잡고 글을 쓰면서 오래 버티는 것이 답이다.

어떤 채널이든 발행하라

짧은 여행이라면 어쩔 수 없지만, 여행 기간이 길면 여행 중에 꾸준히 SNS에 글을 발행하는 것도 방법이다. 블로그, 인스타그램, 브런치 등 어떤 채널이라도 상관없다. 여행 중에 글을 발행하는 것은 생각보다 어려운 일이면서 생각보다 좋은 효과가 많다.

보는 사람이 많지 않은 채널에 글을 발행하더라도, 독자를 의식하게 되고, 책임감이 생긴다. 기본적으로는 오탈자를 한 번 더 확인하게 되는 것부터, 연재를 시작하게 되면 꾸준히 이어가야 한다는 책임감도 생긴다.

여행기의 특성상 최신 글은, 앞으로 여행하려는 사람들의 질문을 받기도 한다. 이러한 간단한 소통은 글쓰기에 힘이 된다. 글쓰기에서 가장 어려운 점은 꾸준하게 쓰는 것인데, 꾸준히 쓰는 데는 발행하는 것이 좋고, 글을 발행하는 과정에서 어떻게든 완결된 글을 써내기 때문에 서랍 속에 있는 글보다는 완성도가 높다. 나중에 글을 모아서 책으로 완성할 때도 훨씬 수월하게 마무리할 수 있다.

매일은 아니더라도 일정한 주기로 글을 발행하는 것은 기록이 된다. 그때그때 기록한 글들은 그 순간에 중요했던 것들이 주제가 된다. 여행 중에 당장 중요했던 문제들이었는데, 여행이 끝나고 나면 아무것도 아닌 것처럼 잊어버리기도 하고, 처음 접해서 신기했던 것들도, 단, 며칠 만에 익숙해져 버린다. 익숙해지기 전에 낯선 관점에서 쓰는 것은 언제나 새롭다. 요즘처럼 직접 가지 않고 세상 모든 곳을 미디어로 볼 수 있을 때 중요한 것은 사소한 낯선 것에서부터 시작한다. 여행은 낯설어야 제맛이다. 어색하고 낯선 것들이 여행기의 차별성을 만들고, 현장감을 전달한다. 가능한 한 간결하게라도 꼭 발행해 두면, 여행을 마치기도 전에 익숙해져 버린, 여행의 귀중한 자산을 기록 속에서 발견할 것이다.

여행 사진

여행기에서 사진 한 장의 힘은 강력하다. 아무것도 모르는 장소를 언젠가 꼭 가야 할 버킷리스트로 만든다. 사진에는 글만큼 풍부한 상상력은 없지만, 장면을 설명하는 데는 오해 없이 명료한 전달력을 가진다. 여행기에서 글은 장소에 상상력을 더해서 작가의 아름다운 영혼을 독자에게 전달한다. 여기에 사진을 더해서 아름다운 독자의 영혼까지도 낯선 곳으로 인도하는 것이 여행기다. 사진은 여행기에서 꿈을 현실로 만드는 원동력이 된다.

사진의 역할이 중요하기 때문에 여행작가는 필수적으로 사진으로도 기록해야 한다. 중요한 장면, 거리, 음식, 풍경을 가리지 않고 꼼꼼히 기록해야 하는데, 우리는 전문 사진작가가 아니기 때문에 원하는 사진을 찍을 수 있을지 없을지 모른다. 질을 보장할 수 없을 때 역시 안전한 방법은 양을 확보하는 것이다. 많이 찍으면 그중에 쓸만한 것이 있기 마련이다. 잘 찍은 사진만 필요한 것도 아니다. 정보를 담은 사진도 중요한데, 처음 보는 열대과일 같은 것은 잘 찍든 못 찍든 자료 사진으로 사용할 수 있다. 날씨나 탈것, 시간이나 풍경도 다 기록이 되는데, 사진은 시간이 몇 년만 지나도 세월의 변화를 금세 알아볼 수 있다.

핸드폰으로 여행 사진 찍는 법

예전에는 책에 실리는 사진을 찍기 위해서는 좋은 카메라와 카메라에 대한 이해가 필요했지만, 요즘은 핸드폰만으로도 충분하다. 특히 현장감이 중요한 여행 사진에서는 결정적인 장면을 재빨리 찍는 것이 중요한데, 카메라보다 핸드폰이 훨씬 유리하다. 실제로 여행작가들도 본인이 직접 찍은 사진을 책이나 잡지 등에 싣는 일도 많다. 중요한 것은 그 장소를 벗어나면 그곳의 사진을 다시 찍을 수 없다는 사실을 기억해야 한다. 잘 못 찍은 사진이라도 온라인에서 구할 수 있는 사진 보다 훨씬 현장감을 잘 전달한다.

핸드폰 사진 앱을 설정하는 방법은 사진 품질을 가장 높게 설정하고, 3:4 비율을 기본으로 찍는다. 대부분 핸드폰 카메라가 3:4 비율 사진을 기본으로 찍고, 비율에 맞게 잘라서 사진을 저장하기 때문이다. 그 외에는 핸드폰 카메라 설정에서 수평계나 격자를 켜서 수평을 잘 맞추는 것만으로도 사진의 품질을 높일 수 있다.

여행 기록 플랫폼 활용하기

추가로 여행을 쉽게 기록하기 위한 다양한 플랫폼들이 있는데, 편의에 따라서 이러한 플랫폼을 활용하는 것도 도움이 된다.

〈구글 맵〉은 자동으로 이동 경로와 날짜, 방문 장소를 기록해준다. 따로 신경 쓰지 않아도 타임라인에서 위치기록 설정만 켜두면 세부적 위치까지 기록해주기 때문에, 방문한 상점 이름 등을 잘 모를 때 활용하면 편리하다.

〈폴라 스텝스〉는 자동으로 기록해주지는 않지만, 이동 경로와 날짜 여행 중에 찍은 사진을 경로에 맞춰서 저장하고 공유할 수 있게 만들어진 앱이다. 지구본 이미지 위에 직관적으로 이동 경로를 선으로 표시해주는 것이 장점이다.

〈트라비 포켓〉,〈핸드트립(여행가계부)〉는 여행경비를 기록하는 앱이다. 환율도 자동으로 적용되고, 어떤 부분에 여행비용을 많이 썼는지도 쉽게 알 수 있어서, 기록할 것이 많은 여행자가 활용하기에 좋다.

시키는대로 책쓰기 3

여행작가의 기록법
여행책 쓰기

[본격적인 여행 책쓰기
여행 후]

[본격적인 여행책 쓰기]
여행 후

여행을 마치고 돌아오면, 본격적으로 책쓰기와 책 만들기를 시작해야 한다. 여행 에세이의 중요한 특징 가운데 하나가 시간적 공간적 장소가 존재한다는 것이다. 좋은 여행기가 가장 최신의 여행기는 아니지만, 최신의 여행기는 여행 계획을 세우는 독자에게 현장감과 최신 정보를 전달한다.

작가 자신도 여행의 기억이 가물가물해지기 전에, 여행의 기분이 남아 있을 때 써야 한다. 글쓰기 클래스를 운영하면서 자주 하는 말이 있다. '작가가 가슴 뛰면서 쓰지 않았는데, 독자가 가슴 뛰기를 바랄 수는 없다.' 특히나 여행기는 여행의 흥분과 설렘을 물씬 담아서 써도 독자에게 가는 과정에서 일부가 소실 된다.

거실 소파에 누워있는 독자를 여행에 동참하게 하려면 우리가 아직 설레야 한다. 기억이 너무 선명해서 그날의 햇살과 냄새가 아직 피부를 뜨겁게 달굴 때, 그날의 한 가운데서 써야 한다. 우리가 사랑한 그 바다가 보이는 카페에 앉아, 차가운 음료를 앞에 두고 독자를 초대하면, 그 누구라도 바다 냄새 가득한 바람을 맞으며 이야기에 빠져들 것이다. 쓰기를 미루다가, 희미한 기억을 더듬으면서 독자까지 길을 잃게 만들면 안 된다.

1. 마감정하기

모든 책쓰기의 시작은 마감을 정하면서 시작해야 한다. 기약 없는 약속은 약속이 아니고, 기한 없는 자유는 도착 시각을 모른다. 자가출판으로 아무 감시나 독촉 없이 책을 낸다고, '시간 날 때 틈틈이 쓰면 되겠지!' 하는 생각은 도착시간이 정해지지 않은 무기력하고 지루한 여행과 같다. 책을 쓰는 적극적인 행동에 무기력이 끼어들 틈을 주면 안 된다.

마감을 정해야 하는 중요한 이유는 생활인이라는 현실적 이유 때문이다. 여행 후 쏟아지는 밀린 일을 해결하고 나면, 명절이 다가오거나 더 중요한 일들이 생긴다. 시간 날 때 틈틈이 책을 쓰겠다는 생각은 책쓰기를 우선순위의 가장 마지막에 두겠다는 뜻이다. 특히나 스스로 책을 쓰고 만드는 일, 아무도 내 책을 기다리고 있지 않을 때는 책쓰기를 가장 우선순위에 놓고도 책을 완성하지 못하는 일이 허다하다. 꼭 정해진 마감을 정해두고 책쓰기를 시작해야 한다.

90일 작가되기

추천하는 기간은 90일이다. 책쓰기를 시작해야 하는 날부터 등록이 완료되는 날까지 90일 안에 모든 것을 완료하는 것이 좋다. 90일은 하루에 2시간 정도 꾸준히 투자하면 책을 완성할 수 있는 시간이다.

원고를 완성하는데 45일, 퇴고와 내지 편집에 15일, 표지 디자인과 자가출판 플랫폼 등록에 30일 정도 투자하면 90일 안에 책쓰기를 마치고, 내 책을 종이책으로 주문해서 받아볼 수 있다.

90일이 책쓰기에 너무 짧은 시간이 아닐까 생각될 수 있지만, 90일을 넘으면 책쓰기에 대한 관심이 떨어지면서 책을 완성할 수 있는 확률이 점점 낮아진다.

　돈을 받고 책을 쓰거나, 출판사에서 원고를 기다린다면 시간이 길어져도 책을 완성할 수 있겠지만, 혼자서 자가출판으로 책을 낼 때는 시간이 길어질수록 관심에서 멀어져 가고 자신감도 사라진다. 여행기는 특히나 빨리 써서 완성해야 하는 종류의 글이다. 시간이 지날수록 기억의 정확도는 떨어지고, '개인적인 여행을 책으로 내는 것이 의미 있을까?' 같은 근본적인 의문도 생긴다. 무언가 새로운 목표에 도달할 때 처음부터 완벽할 수는 없다. 그러나 시작이 없으면 다음도 없고, 책은 항상 작가 자신을 가장 먼저 바꾼다.

마감일 적어보기

오늘 날짜	년	월	일
집필 시작	년	월	일
46일 후 퇴고 시작	년	월	일
60일 후 탈고	년	월	일
61일 후 내지 편집 시작	년	월	일
90일 후 책 등록	년	월	일

2. 목차 쓰기

목차의 분량

본격적인 원고 쓰기에서 가장 먼저 해야 하는 것은 목차를 작성하는 것이다. 앞서 설명했듯이, 여행기는 특별한 의도가 있지 않는 한 시간순이나 장소에 따라서 글을 쓰면 되기 때문에 목차를 작성하는 것이 쉬운 편이다. 목차는 책의 구성과 분량에 대한 계획을 세울 수 있는 기준이 된다.

목차의 항목 숫자로 책의 분량을 예상해 볼 수 있다. 200페이지 책 한 권을 쓴다고 가정할 때, 목차 40개 이상 필요하다. 책으로 가장 많이 출판되는 소설책 크기의 판형에서, 목차 한 항목의 분량은 3~5장 사이가 되고, 2000~4000자 사이라고 볼 수 있다. 목차의 항목이 몇 개가 되느냐에 따라 대략적인 원고 분량이 예상 가능하다. 100페이지 내외의 가볍게 읽기 좋은 책을 쓰고 싶다면, 20~30개 정도의 목차를 구성하면 된다.

책의 논리적 구성

시간 순서대로 책을 쓰면 된다고 생각해서, 가끔 목차를 안 써도 될 것 같다고 이야기하는 분들이 있다. 책을 쓸 때는 일어난 모든 일을 쓰는 것이 아니고, 작가의 의도에 따라서 써야 할 것과 쓰지 않아도 될 것을 구분해서 책의 메시지를 만들어 가는 과정이다. 목차 없이 원고를 쓰면 중요한 이야기는 빼먹거나, 사소한 내용을 쓸데없이 길게 쓰기도 한다. 계획이 없으니 이야기의 비중을 조절하지 못하는 것이다.

여행 이야기 말고 작가의 평소 성격, 동행한 사람과의 관계를 설명처럼 여행 이외의 배경설명도 필요한 위치에 계획적으로 배치해야 논리적으로 설득력 있는 글이 된다. 목차를 쓰지 않으면 책 전체의 이야기를 어떻게 논리적으로 구성할지, 원고 쓰는 내내 고민하게 된다. 결국은 수시로 설계도를 고치게 된다.

다를 바 없는 보통의 여행이 특별해지는 작가만의 시각을 보여주려면, 목차라는 설계도를 이용해서 극적으로 연출하는 과정이 필요하다. 목차를 열심히 정리해서 써도 시행착오를 거치는 것이 책쓰기다. 다만 원고를 쓰면서 목차들이 합쳐지거나, 빠지고, 추가되는 것은 자연스러운 과정이다. 처음으로 집을 짓는 목수가 문제가 생긴 것을 알고도 설계도를 수정, 보완하지 않으면, 좋은 집을 지을 수 없는 것과 같다. 목차를 쓰지 않는 것은 목적지를 모르고 여행하는 여행자나 다를 바 없다.

목차를 쓰는데 걸리는 시간

목차를 쓰는데 시간을 너무 들일 필요는 없다. 매우 집중할 수 있는 3시간 정도가 가장 이상적이라고 생각된다. 3시간이 힘들다면 이틀 정도 투자한 후에 조금 부족한 생각이 들더라도 글쓰기를 시작하면 좋다. 책을 처음 쓰는 사람이 목차를 완벽하게 만드는 것은 애초에 불가능하다. 글을 쓰는 과정에서 수정하고 추가하면서 쓰는 것을 감안하고 이틀이 지나면 무조건 원고를 쓰기 시작하면 된다.

목차를 완성하고 나면, 한글프로그램에서 정리한 뒤 2~3부를 인쇄해서 항상 가지고 다니면서 시간이 날 때 언제든지 원고를 쓸 수 있도록 준비하고, 목차의 항목을 추가하거나 빼면서 보완하면 좋다.

> 목차 쓰기에 필요한 시가 최소 3시간~최대 2일
> 200페이지 책 기준 필요항목 4~50개
> 100페이지 책 기준 필요항목 2~30개
> 목차 완성 뒤 2~3부 인쇄해서 책 완성 때까지 소지하기

3. 원고 쓰기 (초고쓰기)

온라인으로 운영하는 책쓰기 클래스 <90일 작가되기>는 첫 책을 쓰는 사람만 모인다. 당연히 초보자가 많다. 많은 수가 표지 디자인 만드는 것이 어려울까봐 걱정을 한다. 한 번도 디자인을 해본 적이 없고, 컴퓨터를 잘 못 다룬다고 시작부터 고백해오는 경우

가 많았다. 그런데 책 만들기 과정에서 가장 어려운 과정은 원고 쓰기다. 디자인 플랫폼 사용법이 예전보다 훨씬 쉬워져서 지금까지 함께한 모든 분이 스스로 표지를 디자인해서 완성했고, 배우는 과정을 재미있어하기도 했다.

그런데, 쓸 말이 너무 많다고 호언장담하던 분도, 이미 반쯤 완성된 원고로 시작한 분도, 원고를 완성하지 못해서 포기한 경우가 많았다. 글을 쓰는 방법을 모르는 사람은 없다. 꾸준히 책상에 앉아 메아리조차 없는 적막한 흰 대지에서, 끝없이 혼자 중얼거리기도 외치기도 하는 것이 원고 쓰기다. 글쓰기는 다른 사람과 함께 할 수 없는 오로지 혼자만의 공간에서 작가의 세상을 탄생시키는 것이다.

처음에는 아무것도 없는 곳에서 자신의 방법을 터득해서 세상을 창조하려니 어렵고 막막한 것이 당연하다. 시간이 지나서 원고 쓰기에 익숙해져도 꾸준히 쓰는 것은 또 어렵다.

이론상으로는 하루에 한두 시간씩 투자해서 한 달 정도면 책을 완성할 수 있다. 작가가 생업이 아닌 사람이 회사 일을 겸하면서, 90일이 넘게 매일 한두 시간씩 시간을 낸다는 것은 거의 불가능에 가깝다. 3개월 안에 책을 써야 하는 이유이고 최대 2달 안에 원고 쓰기를 끝마쳐야 하는 이유다. 3개월까지는 독한 마음으로 버틸 수 있지만, 6개월이 되면, 1년이 되면, 더 이상은 어렵겠다는 결정을 내릴 수밖에 없다.

초고에서는 분량을 걱정하지 말고 쓸 수 있는 만큼 빠르게 전체 내용을 써나가는 것이 중요하다. 첫 책을 쓸 때 어려운 점이 예상한 분량보다 이야기가 빨리 끝난다는 점이다, 분량이 충분하지 않으면 작가는 초조해진다. 초고에서는 분량을 잊어도 된다. 생각의 방향, 메시지, 꼭 써야 할 부분을 빠르게 써서 원고의 틀을 잡아나가는 것이 중요하다.

생각은 생각할수록 마르지 않고, 글도 쓸수록 는다. 첫 원고를 쓸 때는 초반에 원고를 쓰던 나와 후반의 원고를 쓰는 내가 다른 사람이다. 그래서, 원고 전체를 빠르게 쓰는 과정에서 글쓰기 실력이 늘고 초반에 쓴 글의 부족한 부분이나 빠진 부분을 나중에는 쉽게 찾을 수 있게 된다. 다른 중요한 점으로는, 첫 책을 쓰고 있다는 사실을 잊으면 안 된다. 초고를 쓰면서 완벽한 문장을 구사하려고 하거나, 단어표현을 고민하면 중요한 것을 놓치게 된다. 맥락과 구조를 완성한 뒤에 장식도 하고 정리도 하는 것이 어떤 일을 할 때나 순리에 맞다.

빠르게 쓰는 것은 스스로에게 응원이 되기도 하는데, 내용을 제쳐두고라도 분량이 어느 정도만 쌓여도 조급한 마음에서 벗어날 수 있고, 뭔가를 이룰 수 있을 것 같은 희망도 보인다. 분량이 빠르게 늘어날수록 책을 완성할 확률도 높아진다. 이렇게나 많이 썼는데, 포기할 수는 없기 때문이다.

첫 책에서는 초고를 빨리 완성하고, 여러 번 반복해서 읽고 보완할수록 완성도가 높아진다. 목차를 항상 가까이 두고 빠른 속도로 원고를 완성해야 한다.

초고 쓰는 기간 45일
퇴고 15일

4.머리말 쓰기

머리말은 원고를 쓰기 시작하면서 가장 먼저 써도 되고, 원고를 어느 정도 써 보고 책의 윤곽이 잡힐 때 써도 된다. 이왕이면 원고를 쓰는 초반에 머리말을 쓰는 것을 권하는 편이다. 머리말을 쓸 때, 자연스럽게 책의 미래를 상상하게 되기 때문이다,

머리말은 작가가 독자에게 전하는 가장 선명한 지침서다. 책을 어떤 마음으로 쓰는지, 어떻게 읽어줬으면 좋겠는지, 책이 독자에게 어떤 이익이 되는지를 보여주는 책의 설명서 같은 것이다. 머리말을 쓰면서 작가는 잠시 책이 완성된 미래로 가서, 미래의 독자와 만난다. 이때 독자에게 책을 설명하는 과정에서 흐릿했던 책의 메시지가 선명해지기도 한다.

머리말을 쓰는 정해진 형식이나 분량은 없고, 자유롭게 쓰면 된다.

5. 맺음말 쓰기

맺음말은 머리말보다는 더 자유롭고 더 인간적이다. 머리말에서 독자와 작가가 초면이었다면, 맺음말을 읽을 때는 작가에 공감하게 된 동료다. 책에서 말하지 못했던 책 쓰는 과정의 어려움이나

인간적인 면을 드러내도 좋다. 독자에게 마지막 당부나 바람을 자유롭게 전할 수 있는 공간도 맺음말이다. 머리말이 책 사용 설명서였다면, 맺음말은 독자를 동료로 팬으로 만들 수 있는 좀 더 편안하고 자유로운 글이다. 독자가 책을 덮었을 때 기억할 수 있는 울림을 줄 수 있는 마지막 기회도 맺음말에 있다. 중요한 것은 힘들게 써낸 책과 소중한 인연이 되어 준 독자에게 작가의 마음을 잘 전달하는 데 있다.

시키는대로 책쓰기 3

여행작가의 기록법
여행책 쓰기

[여행과 삶에 대한
질문]

[여행과 삶에 대한 질문]

　　여행 에세이는 생각보다 많고, 생각보다 적은 이상한 장르다. 나라마다 누군가가 쓴 여행에세이가 있는데, 없다. 국내 여행기로 한정하면 대부분의 지역을 쓴 사람이 많지 않다. 여행작가가 되고 싶은 사람은 생각보다 많고, 여행을 다루는 블로그, 인스타그램은 많은데, 여행작가는 많은 것 같으면서 흔치도 않다. 아마 이렇게 느끼는 이유는 각인된 강렬한 여행기가 많지 않기 때문일 것이다.

여행은 일상에서 가장 쓸만한 소재다. 여행을 나서는 것만으로 쓸 수밖에 없는 에피소드들을 만난다. 여행의 신비한 점은 모두 다른 여행을 한다는 점이고, 모두 자신만의 세계를 만들어 간다는 점이다. 그러나 여행을 따라가면서 쓰다 보면, 여정에 정신이 팔려서 진짜 중요한 마음의 이야기를 놓치는 경우가 많다. <여행과 삶에 대한 질문>을 쓴 이유다. 여기에 쓴 이야기들은 특별한 이야기가 아니다. 누구나 여행 중에 떠올리는 생각의 파편들을 모은 것뿐이다.

예전의 여행기들은 새로운 다른 세상을 소개하는 것만으로도 충분했지만, 누구나 여행하는 '대 여행의 시대'에는 새로운 세상은 독자가 직접 만나러 가는 것에 의미가 있다. 우리는 새로운 세상 앞에서 무엇을 보고, 느껴야 하는지 우리만의 여행 노하우를 전수하는 사람들이다. 짧은 여행이 의미가 될 수 있도록 만드는 여행기를 모두 썼으면 하는 바람으로 얕은 생각들을 모았다. 이 질문들을 통해서 여행기를 쓸 때, 자신을 더 잘 들여다보고, 새로운 시야로 세상을 보여주는 아이디어를 얻었으면 한다.

왜 여행하는가?

'당신은 왜 여행합니까?'

사실, 여행의 목적은 중요하지 않을 수 있다. 여행을 좋아해서, 친구들과 시간을 보내기 위해서, 잠시 일상을 떠나 있기 위해서, 궁금했던 장소에 가 보기 위해서 같은 수많은 이유가 존재한다.

왜 여행하는지 생각할 겨를도 없이 바쁜 것도 여행이다. 장소와 일정을 정하고, 차편을 알아보고, 짐을 싸는 동안 왜 여행하는지 생각해볼 겨를이 없어도 괜찮다. 도착하는 순간 탁 트인 바다를 보면서, 이른 새벽에 산행하면서, 복잡한 생각과 고단한 준비 과정을 잊게 만드는 것이 여행의 목적일지도 모른다.

여행책을 쓴다는 것은 여행을 조각조각 나누고, 의미를 읽고, 복기하면서, 스스로에게 묻는 과정이다. 왜 떠나느냐고, 왜 여행이 좋으냐고 끊임없이 물어야 한다. 초콜릿의 달콤함이 왜 좋으냐고 묻는 것이 의미 없는 일 같지만, 여행기를 쓴다는 것은 피곤해서 달콤한 초콜릿이 생각났고, 피곤해진 이유는 무엇 때문이고, 왜 피곤할 때 초콜릿이 생각나는지를 끊임없이 추적하다가 마음속 깊은 곳에서 잊었던, 태어나서 처음 초콜릿을 먹었을 때의 기억을 파헤치는 추리극 같은 것이다.

여행에는 수많은 이유가 있다.

그저 떠나고 싶을 때도 있고, 새로운 세상을 알고 싶은 도전적이거나 배움을 원하는 마음일 수도 있다. 휴식을 간절히 바랄 때도, 익숙한 곳에서 도망치고 싶을 때도 있다. 극명한 어떤 이유가 없더라도 여행을 사랑한다면, 이유가 있다. 비행기를 타고 바다를 건너면 일상의 복잡한 생각을 잊을 수 있어서 좋은 사람도 있고, 늘 새로운 곳에서 낯선 음식과 환경을 만나서 일상의 소중함을 배우는 사람도 있다. 우리는 수없이 떠났지만, 과연 몇 번이나 스스로에게 물었는가, 나는 왜 여행하는가? 당신의 여행의 이유는 무엇인가?

당신은 어떤 여행을 하고 싶습니까?

여행이 좋은 이유가 무엇입니까?

당신은 어떤 여행을 하는 사람입니까?

떠나는 여행

도전하고, 배우는 여행

휴식을 취하는 여행

도망치는 여행

리스트를 채워가는 정복자의 여행

남겨둘 것과 /가져갈 것

여행은 즐겁지만, 여행 짐을 싸는 것은 귀찮은 일이다. 하루짜리 짧은 산행이라고 해도 바람막이에서부터, 모자, 물, 도시락 등 필요한 것을 챙기다 보면 금세 짐이 많아진다. 오랜만에 떠나는 해외여행이거나 가족여행이라도 떠난다면 짐을 싸는 일은 여행의 설렘을 좀먹을 만큼 피로한 일이다. 짐을 싸는 내내 꼭 가져가야 하는 것과 남겨도 될 것을 구분하는데 온 신경을 쏟았는데도, 한 번도 쓰지 않은 물건이나, 두고 온 물건은 꼭 있다.

여행은 두고 갈 것과 가져갈 것을 고르는 과정이다. 냉장고는 사는 데 절대적으로 필요하지만, 아무리 긴 여행을 떠나더라도 절대 가져갈 수 없는 것처럼, 여행은 어쩔 수 없이 내려놓고 가야 하는 것과 두고 가기로 결정한 것, 고생스럽지만 꼭 가져가야 할 것들로 삶을 구분시킨다.

만약 오랜만에 가족여행을 떠난다면, 오랫동안 묵혀온 가족 간의 사소한 신경전 같은 것은 절대적으로 두고 가야 하고, 새로운 환경은 자연스럽게 두고 온 것들을 잊게 만든다. 저녁에 침대에 누워서도 되새기는 내일 할 일 같은 것은 누구나 자연스럽게 두고 갈 것이지만, 오랫동안 고민해온 고민이나, 아직 답을 찾지 못한 결정들은 가져가도 된다. 홀가분한 마음은 덜 할 테지만, 새로운 환경은 익숙한 문제를 새로운 방향에서 보게 해주고, 가끔은 답으로 인도하기도 한다.

사회적 소속이나 책임감도 두고 가면 좋다. 여행지에서 나이, 국적, 성별을 다 떠나서 친구를 만들고 새로운 문화 속으로 들어가고 싶다면, 한국적인 것, 내가 익히 살아온 세계는 두고 가도 좋다. 한국적인 입맛은 두고 가서 현지 음식을 마음껏 즐기고 싶겠지만, 입맛을 두고 가는 것은 스스로 선택할 수 없는 요소이기도 하다.

여행에서 우리는 무엇을 두고 가고, 무엇을 가져갈 것인가를 결정해야 한다. 두고 가야 하는 것을 여행지까지 굳이 가져간다면, 그토록 오고 싶었던 곳을 내가 알던 세상에 꼭 끼워 넣은 어색한 모습이 될 것이다. 그곳에서 새로운 것이 무엇인가는 아무것도 알아보지 못할지도 모른다.

여행에 꼭 가져가야 할 것은 무엇입니까?
두고 가기로 결정한 것은 무엇입니까?
사회적 지위나 책임감을 두고 왔습니까?

가져갈 것, 두고 갈 것을 고르는 과정에서,
삶에 꼭 필요한 것이 무엇인지 답을 얻었나요?

나를 찾는 여행

여행에서 두고 갈 것과 가져갈 것을 구분하다 보면, 가끔 나를 설명할 길이 없어진다. 평소에 "OO 회사 OO 팀 과장 홍길동입니다." 라고 소개했다면, 업무와 직위, 소속을 두고 가버리면 달랑 이름만 남는다. 국내 같으면, '서울사는 홍길동입니다.' 라든가, 해외 같으면, '한국 사람 홍길동입니다.' 하고 나면 나를 설명할 길이 없어진다.

90년대에 한참 해외여행 붐이 일면서 '나를 찾는 여행'이라는 말이 유행한 적이 있었는데, 두고 갈 것들, 원래 내 것이 아니었던 것들을 내려놓고 나면, 도저히 나를 찾지 않으려야 찾지 않을 수 없었다. 돌이켜 생각해보면 그토록 싫은 회사가 주는 직함이 없으면 나를 설명할 수 없는 것도 이상하고, 일이 아니어도, 성취가 아니어도 나를 설명할 수 있어야 맞는데, 여행 짐을 싸면서 내려놓은 명함 한 장이 그렇게 아쉬울 수가 없다.

여행은 나를 나의 행동으로, 좋아하는 것들로, 내가 품은 마음으로 규정할 수 있는 기회. 과연 나는 무엇을 좋아하는, 어떤 마음을 품은, 어떤 사람이었던가를 되새겨 보는 것 그것이 바로 나를 찾는 여행이다.

여행자로 모든 것을 두고 왔다면, 당신은 어떤 사람입니까?

나는 내가 아는 사람이 맞는가?

우리 아버지는 내가 기억하는 순간부터 말단 공무원이었고 평생을 공무원으로 사셨다. 에너지가 많아서 일 없이는 못살고, 없는 일도 찾아서 하고, 자신을 꼼꼼하고 일을 잘하는 사람으로 믿었다. 같이 여행할 일이 많지는 않았지만, 그리 멀지 않은 곳에만 가도 아는 것이 없었다. 아버지가 사는 세상에서는 모르는 일이 없고, 자신이 없으면 세상이 굴러가지 않을 것처럼 믿는데도, 처음 먹어 보는 것, 처음 가 보는 곳 앞에서는 화를 내거나, 막무가내로 거부했다. 과연 아버지는 스스로를 이해했을까? 자신의 두려움과 대면할 기회가 있었을까?

여행은 자신을 이해할 기회를 준다. 20대에 처음으로 혼자 해외여행을 하면서 알게 되었다. 나 자신을 나름 야무지고, 착하고, 씩씩한 사람이라고 착각했었다. 2000년 초반만 해도 해외여행에서 온라인 송금이 절차가 복잡하고 어려워서 한국에서 가져간 현금만으로 생활해야 했다. 손에 쥔 돈을 다 쓰면 도와줄 사람은 대사관이나 한인들 계좌를 빌려야 하는 진짜 비상상황이 된다. 그런 환경에 놓이자 나는 바로 인색하기 짝이 없고 '돈, 돈'거리며 꼼꼼한 부모님 같은 사람이 됐다. 비싸 보이는 식당은 들어가기도 전에 겁에 질렸고, 세상 사람들이 다 사기꾼으로 보였다. 인간에 대한 신뢰 따위는 전혀 없는 냉정하고 옹졸한 사람이 되었다.

영어로 무장한 서양인들 앞에서는 말만 못 하는 것이 아니라, 잘못 없이도 움츠러드는 못난 사람이라는 사실을 처음으로 알게 되었다. 물론 첫 여행의 실수라고 이해할 수 있지만, 그전까지 나는 스스로를 그렇게 바라본 적이 한 번도 없었다. 적당한 지방학교에서 공부도 제법하고, 뭘 해도 칭찬을 받고, 착하고 야무지다고 아무 근거 없이 착각하고 살았다. 나는 내가 누군지 몰랐다.

한번은 20대 한국인 여행자들끼리 코코넛을 사러 갔다. 겨우 10살이나 될까 싶은 아이가 마체테를 들고 더 어린 동생과 함께 코코넛을 팔고 있었다. 갑자기 밀려든 코코넛 주문에 정신이 팔려 그만, 동생이 칼에 이마가 찍혀 피가 나고 말았다. 그런데도 우리는 어떻게만 연발하다가 코코넛을 받아서 그냥 돌아왔다. 나는 착한 사람이 아니었고, 착한 것이 무엇인지도 모르는 사람이었다. 스스로가 착하다는 착각은 나쁜 짓을 한 적이 없다는 것뿐이었다. 그 일이 있고 난 뒤 몇 년이 지나서야 처음으로 착한 것과 내가 하지 않은 나쁜 짓의 의미를 이해하게 됐다.

여행은 이처럼 나는 내가 알던 사람이 맞는가를 확인시켜 준다. 우리는 과연 자신을 안다고 확신할 수 있을까?

당신은 과연 선한 사람입니까?

어떤 상황에서도 당당한 태도를 유지할 수 있습니까?

다른 사람의 삶을 존중하고 있나요?

당신은 당신이 알던 사람이 맞나요?

여행노하우

세상의 사람 수 만큼 수많은 여행의 노하우가 있다. 첫 해외 여행을 할 때, 그 좋다는 여행을 나왔는데 하나도 좋지가 않았다. 사람들을 만날 때마다 영어 실력 때문에 작아지고, 숙소마다 다른 규칙들이 어색하고, 밥 먹을 때조차 무엇인지 알 수 없는 메뉴들 때문에 짜증이 났다. 그 당시 내가 낼 수 있는 최대한의 투자금을 투자했는데, 두려움에 휩싸여서 쥐구멍에 숨어 있는 것처럼 움츠러 들어 있을 수는 없다는 생각이 들었다. 그래서 여행의 원칙을 세웠 는데, 한번 간 식당에는 가지 않고, 익숙한 패스트푸드점에도 가지 않기로 정했다. 낯선 곳만 찾아다니기로 마음먹었다. 이후 몇 년 동안이나 그 원칙을 지켰고 덕분에 낯선 환경, 낯선 메뉴 앞에서 편안하게 즐기는 법을 배웠다. 누구에게 나만의 여행을 극복하는 법, 나만의 노하우는 있기 마련이다.

여행의 노하우는 수많은 곳에 깃들어 있다. 흥정을 잘하는 법, 맛집을 고르는 법, 야간기차에 대비하는 법, 외국인 친구를 스스럼 없이 대하는 법 같은 온갖 삶의 노하우다. 그런 사소한 노하우 안 에는 삶의 철학이 들어 있다. 야간열차에서 나란히 앉아 밤을 지새 워야 하는 낯선 이에게 먼저 간식을 건네는 것처럼 사소한 행동이 여행하는 동안 나를 나답게 만들고, 세상을 내가 살고 싶었던 곳으 로 만드는 노하우다. 일상에서라면 무신경했던 온 세상을 둘러보면서 조금 친절해지거나, 좀 더 용기를 내는 수많은 방법이 각자의 여행 속에 녹아 있다.

> 흥정의 노하우는 어떤 것인가요?
>
> 맛있는 식당을 고르는 노하우가 있나요?
>
> 숙소, 음식, 교통편 무엇에 가장 투자해야 할까요?
>
> 여행 경로를 고르는 기준, 박물관이나 미술관, 자연?
>
> 외국인 친구와 친해지는 방법이 있나요?
>
> 국내 여행 노하우가 있나요?
>
> 나만의 독특한 여행 노하우가 있나요?

여행 중 만난 여행자들

여행을 떠난다는 것은 새로운 장소를 방문하는 것이 목적이지만, 그곳에는 언제나 새로운 사람들이 있다. 여행의 방법에 따라서 만나는 사람들은 달라지지만, 여행의 또 다른 매력이 다양한 사람들과 어울릴 수 있는 것이다. 내 삶의 반경을 넘어선 각양각색의 사람들과 함께 하는 것은 언제나 새로운 사건을 만든다.

국내 여행을 하면서는 길을 묻다 우연히 동행하기도 하고, 지역을 구석구석 아는 친절한 택시기사님, 숙소에서 만난 다른 여행자와 이런저런 이야기를 나누기도 하고, 도움을 받기도 했다. 국내여행에서 잘 알려지지 않은 구석구석을 알려준 분들도 다 우연히 만난 사람들이었다.

해외여행을 할 때 침대 한 칸을 빌려 쓰는 도미토리에 자주 묵는데, 서양인 여행자들과 인사도 잘 나누고 수다를 떨어도 마음 한 켠에는 불편한 마음이 든다. 우리나라 사람들을 만나면 태도만 봐도, 느낌만 봐도 나랑 잘 맞는 사람인가를 대충 알 수 있었다면, 서양사람들은 도통 어떤 사람인지 알기 어렵기 때문이다. 한국 사람끼리는 차림이나 사는 지역만 알아도 어떻게 자랐을지 어떤 성향일지가 짐작이 간다.

"안녕하세요 저는 대전 살고, 휴학하고 놀러 왔어요."

라는 말만 들어도 학생이라 귀엽고 밥 한 끼 사주고 싶은 생각이 든다.

"나는 미국 사람이고 덴버에서 와서 여행하면서, 온라인으로 대학 수업도 듣고 있어."

실제로 내가 만난 미국 사람한테 들었던 말인데, 이런 말을 들으면 무조건 외워야 한다. 미국, 덴버, 학생 이상하게 영어로 들은 말은 세부사항이 기억이 잘 안 난다. 그래서 이름과 출신 지역은 그냥 외운다. 아무리 외워도 그 사람이 어떤 성향인지 어떤 환경에서 자랐는지 알 수 없었다. 그 때문인지, 영어가 짧아서인지 어색한 느낌을 지우기가 어려웠다.

여행이 길어지면서 서양사람들도 동양인을 어색해하는 것을 알게 됐다. 서양인도 결국 자기 나라 사람이 더 편하다는 아주 단순한 진리를 이해하게 되면서, 서양 여행자들을 대하는 것이 훨씬 수월해졌다. 여행의 다른 많은 부분은 사실 비용을 내면 경험할 수 있는 것들이 많다. 그러나, 여행에서 만나는 사람들은 돈으로 해결할 수 없는 우연이 준 인연이다. 우연히 만났지만, 인연으로 만드는 것, 최소한 좋은 기억으로 서로를 추억하는 것은 우리에게 달렸다. 여행에서 만나는 수많은 사람들은 그 무엇으로도 살 수 없는 여행의 진짜 모습인지도 모른다.

여행에서 친구를 만났습니까?
여행에서 도와준 사람이 있었나요?
여행에서 본 인상 깊은 사람이 있었나요?

세상의 확장

한때 유행했던 게임이었던 스타크래프트에서는 자신이 가 보지 않은 곳은 까맣게 보인다. 가 보지 않은 지역은 어떤 지형, 지물이 있는지 알 수 없다. 한 번이라도 지나간 부분은 밝아지면서 그제야 그 지역을 볼 수 있게 된다. 요즘에는 꼭 가 보지 않더라도 세상 구석구석을 다양한 매체, 다양한 시선으로 보고 듣는다. 그런데도 여행을 떠나는 이유는 아는 것과 실재를 확인하는 것은 다르기 때문이다.

처음으로 낚시를 하던 날을 잊을 수가 없다. 처음 낚싯대를 드리웠을 때까지만 해도 수면은 하나의 거대한 장막 같은 것이었다. 바다는 세상을 땅과 나누는 거대한 장막이었다. 낚싯대에 물고기가 걸려 나오던 순간에, 물고기의 목숨값으로 내 세상은 바닷속까지 반짝반짝 빛났다. 물론 물고기를 평생 몇 번 못 봤거나, 바닷속을 몰랐던 것은 아니다. 알고 있었지만, 마치 뚜껑을 덮어둔 컵처럼 그저 있을 뿐이었다. 비로소 땅과 바다를 가르는 거대한 장막이 걷혔다. 물고기가 자신의 세계에서 끌려 나오던 때에 나는 인어공주와 별주부전, 동화에서 본 고래와 온갖 물고기들로 가득한 바다를 느꼈다.

여행은 그런 것이다. 이미 알고 있는 세계의 존재를 아는 것을 넘어서 인식하는 것이다. 지금은 멕시코를 여행하는 중인데, 나는 수많은 꼬깔콘과 프링글스를 먹으면서도 한 번도 멕시코라는 세계를 이해한 적은 없었다. 요즘 세상에 나와 연결되지 않은 세상은 없고 우리가 소비하는 세상은 없지만, 그것이 진정 내가 실존적으로 이해하는 세상인가와는 다른 이야기다. 멕시코에 와서야 내 마음속의 지도에서 멕시코라는 땅과 이곳의 사람들로 가득찬 세계가 밝아졌다.

국내 여행을 할 때도 마찬가지였는데, 익숙한 지명의 지역들인데도 이해하는 세상이라고 할 수 없었다. 밀양의 과수원들을 따라 난 길들을 걸으면서, 진주의 남강을 내려다보고 육회비빔밥을 먹고 나서야 내 지도 속에 그곳들이 밝아졌다. 신기하게 여행을 다녀오고 나면, 일상의 소비재들 속에서, 뉴스 속에서 갑자기 그 지역들이 보고 들린다. 언제나 넘치는 정보 속에 내가 이해한 세상만 더 밝게 빛나는 것, 아는 것을 넘어서 존재를 느끼는 것, 그것이 여행으로 확장된 우리의 세계다. (여행은 입맛도 확장시켜서, 삶을 더 행복하고, 살찌게 한다.)

여행으로 확장된 세상, 무엇이 달라졌습니까?
여행을 다녀와서 문득, 그 지역의 뉴스나 소식이 잘 들린 적이 있나요?
다녀왔던 그곳의 풍경, 맛이 문득, 그리운 적이 있었나요?

다름을 받아들이는 일

'인종을 차별하지 않는다.'라는 말처럼 가식적으로 들리는 말이 없었다. 단일 인종, 단일 민족국가에서 나고 자라서 해외여행을 처음 떠날 때까지 평생 만난 외국인이 다섯 손가락 안에 들었다. 인종 차별을 이해할 수 있을 리가 없었다.

버스 옆자리에 백인 여자가 앉으면 절로 친근하게 어느 나라 사람이냐 묻고, 흑인 남자가 앉으면, 지갑을 조심하는 것이 나를 지키는 일일 텐데, 모두가 그렇게 하면서 아닌 척하는 것이 위선으로 보였다. 다민족으로 구성된 많은 나라들이 밝은색 피부가 상위 계층의 상징이 되고, 심지어 흑인들끼리도, 피부가 어둡다는 말은 결례에 가까운 표현이다. 게다가 동양인들은 감히 차별에 낄 수 있는 처지도 못 된다. 백인과 다른 서구권 유색인종, 그리고 같은 문화권에 속한 흑인들의 하위에 동양인이 있었다.

사실 우리의 인종 차별은 다른 곳에 있었다. 우리 보다 못사는 나라로 인식되는 동남아에서 누구나 너무도 쉽게 인종 차별을 하고 있는 자신을 발견한다. 생전 처음 만난 사람들을 내심 가난한 사람들로 취급하는 것, 가진 것으로 다른 사람을 판단하는 것은 얼추 들어맞는 대충 합리적인 기준일지도 모른다. 그러나 게으른 사람으로 취급하는 것, 일 처리가 똑바르지 못한 사람으로 취급하는 것, 위험한 사람으로 생각하는 일은 경계할 사이도 없이 빈번하게 일어난다.

여행 중에 중국인을 만난 적이 있었다. 매우 쾌활하고 차림새도 중국인이라기보다 한국인에 가까운 세련된 학생이었는데, 한국에 다녀온 적 있다면서 솔직한 후기를 들려줬다. 한국은 너무 친절하고, 모든 것이 빠르고, 정확해서 답답한 느낌이 들었다고 했다. 모든 사람이 정장을 차려입고 정중하고 예의 바른 모습에, 자신도 그렇게 하지 않으면 안 될 것 같은 압박감을 느꼈다고 했다.

요즘 퇴근 시간에 칼퇴근하고, 자기주장이 강하고, 일과 생활의 밸런스를 찾겠다고, 퇴사를 밥 먹듯이 하는 MZ세대에 기성세대가 경악하고 있다. MZ세대는 저축도 하지 않고 대책 없이 살아가는 가난하고 게으른 세대일까, 아니면 자기만족 없는, 돈 버는 일만 하는 것을 거부하는, 삶을 즐길 줄 아는 세대일까?

중국인은 너무 올바르기만 한 우리나라의 분위기를 이해 못했고, 우리는 우리 중의 MZ도 잘 이해하지 못한다. 게을러 보이는 동남아 사람들은 더 이해하지 못한다. 아무리 편견 없이 세상을 바라본다고 해도, 우리보다 가난한 나라이고, 더 가난한 사람들이라는 것을 알면서 안 보이는 척할 수는 없다. 우리가 한국에서 살아가면서 사람을 대할 때처럼 어르신을 존중하고, 약자를 배려하는 것처럼 그냥 섞여서 살아가는 것, 이해하지는 못해도 결국 함께 살아가야 다른 사람들로 받아들이는 것이 그 시작일지도 모른다. 길 잃은 여행자에게 현지인은 언제나 바른길로 인도하는 협력자이고 차별 앞에 우리도 예외일 수 없다. 차별하지 않는 것은 결국 차별받지 않는 유일한 방법이다. 나를 위해 내 마음을 경계하려고 한다.

이번 여행에서 미처 깨닫지 못한 나의 차별적인 시선을 깨달은 적이 있나요?

여행에서 다름을 이해하게 된 것이 있나요?

인종 차별을 당한 적이 있나요?

우리의 동정심은 누굴 위한 것인가

지금 지내고 있는 '산크리스토발 데 라스 카사스'는 멕시코에서도 가장 멕시코다운 도시로 꼽히는 곳이고, 원주민의 비중이 가장 높은 곳 중에 하나다. 다른 도시와는 다른 인종 비율과 토속적인 색채는 거리만 걸어도 설레게 만든다. 그런데 유독 이곳에는 구걸하는 사람들이 많고, 2024년인데도 초등학생 정도로 보이는 아이들이 가벼운 물건들을 팔고 다닌다. 구걸 앞에서는 아직도 어떻게 대처해야 할지는 모르겠다. 구걸이나 아동노동에 대해서는 측은지심을 가지더라도, 정당한 노동을 하지만 가난한 사람들, 우리보다 누리지 못 하는 넉넉하지 못한 삶은 어떻게 받아들여야 할지 항상 어려운 마음이 든다.

인도에서 알게 된 친구가 있었다. 그 사람의 형은 일본 여자와 결혼해 일본에 살고 있었다. 형이 언제나 일본으로 오면 돈을 많이 벌 수 있다고, 일본으로 초대했다고 한다.

"일본에 가서 몇 년만 벌면, 금세 인도에서 뭔가를 시작할 수 있는 자금을 모을 수 있는데, 왜 안가?"

내가 물었다.

"인도에서는 평범하게 살아도 청소하는 사람 따로 쓰고, 마사지하는 사람 불러서 마사지 받고, 큰돈 벌지 않아도 왕처럼 살 수 있는데, 일본에 가서 고생하면서 굳이 큰돈을 벌어온다 한들 인생에 큰 변화가 있겠어?"

물론 인도 사람들도 다 생각이 다르지만, 대답은 이랬다. 한국 사람의 생각으로는 '일본에서 몇 년 고생해서 집도 장만하고, 사업 자금도 마련하고, 처자식도 먹여 살려야 하지 않느냐?'는 말이 줄줄이 사탕처럼 나올뻔했지만, 이해는 됐다. 애초부터 더 윤택한 삶을 살겠다는 계획 자체가 없었다. 이 친구에게는 더 넉넉하지 못한 삶을 사는 것이 아니라 애초에 목적지가 달랐다.

같은 이야기는 멕시코사람에게도 들었다. 30년간 미국에서 살다가 온 사람이었는데, 어릴 때 너무 가난해서, 불법 이민자로 시작해서, 30년간 택시 운전, 공장 노동자 등 온갖 험한 일을 하면서 가족을 부양했다고 한다. 그 고생을 한 이유가 가족을 부양하고, 살아남기 위해서였지만, 왜 잘사는 미국 사람들은 좋은 물건을 위해서 인생을 일만 하면서 소비하느냐고 개탄했다. 그 이야기를 듣고 보니 알뜰살뜰 아끼면서 산다고 생각했던 내 짐들이 생각났다. 한 번도 입지 않은 옷들과 종류만 수십 가지인 화장품들과 꼭 필요한 것 같아서 산 물건들이 내 인생의 일부를 가져갔다고 생각하니, 과연 넉넉하게 누리는 삶이 더 부러운가도 의심이 들었다.

우리처럼 살면 다른 이들도 행복할까? 우리가 지금 행복한가를 생각하면, 우리 기준으로 다른 이의 삶을 재단할 수 있는지를 생각해보게 된다. 나의 측은지심이 최소한 나를 위한 것이 아니기를 기도할 뿐 정답은 아직 모르겠다.

이번 여행에서 나만의 답을 찾으셨나요?
저는 아직 정말 모르겠습니다.

제182호 가혹한 형태의 아동노동 협약

아동노동은 인도나 아프리카처럼 빈곤층이 많은 나라에서 매우 심했는데, 1999년 국제노동기구 (ILO: International Labour Organization) 제182호 협약인 <가혹한 형태의 아동노동 협약>에 172개국이 비준하면서 전 세계적으로 금지되기 시작했다. 취입이 가능한 나이는 최소 15세 이상이어야 한다. 실제로도 2000년 이후 많은 국가에서 관광지에서 엽서를 판매하는 등의 아동노동의 모습이 훨씬 줄어들었다. 물론 모든 종류의 아동노동이 금지된 것은 아니고, 학교에 갈 권리를 빼앗기거나 노동 착취를 당하는 경우와 같이 인권과 아동권에 위배되는 가혹한 형태만 금지된다.

여행에서 신을 만난 적이 있습니까?

우리나라는 세상에서 가장 편견이 없는 세상일지도 모른다. 인종적인 다양성이 적어서 인종 차별로 인한 갈등의 골이 깊지 않고, 오랫동안 유교적 전통으로 살아온 덕분에 불교와 기독교가 정치나 제도를 간섭하지도 않는다. 가까운 중국이나 동남아에만 가도 종교적인 전통이 훨씬 진하게 남아 있고, 무언가를 기원하는 사람들로 절이나 사당에 사람들이 넘쳐난다. 우리나라 사람들이 절을 나들이 장소로 여기는 것과 사뭇 다르다.

인도는 신들의 땅이라 말해도 과언이 아니고, 인도를 넘어가면 무슬림들의 확고한 신념이 지배하고 있다. 무슬림의 땅을 넘어서 유럽에는 유일한 신 하느님께 바치는 수많은 교회가 가득하다. 지금 있는 중남미도 주님을 사랑하기로는 둘째가라면 서러울 정도로 교회가 많은 곳이다. 게다가 유명 관광지 중 많은 곳은 오래전에 이미 신들이 선점한 아름다운 장소에 있는 사원이거나, 신들에게 바쳐진 아름다운 교회, 유적들이 많다. 애초에 우리는 신들의 땅의 세든 것처럼 살고 있는데, 우리가 주인이라고 착각하는지도 모른다. 여행을 떠나 낯선 땅에 들어서면 신들의 존재를 비로소 깨닫게 되는데 가끔 신들은 여행자에게 말을 걸어온다.

지금 여행하고 있는 중남미는 해발 2000~3000m 사이의 고원에 있는 도시가 많이 있다. 지형도를 놓고 보면 사람이 살 수 있는 땅이 이미 몇백만 년 전에 정해진 것 같은 느낌이 든다. 산들 사이 계곡에 위치한 평원이나 분지에 많은 도시가 있다. 중남미는 이미 신이 인간을 위해 점지한 땅이었다.

멕시코에도 어디에나 성당이 있는데, 더운 한낮이나, 많이 걸어 힘든 여행자들은 교회에 들어가서 신의 그늘에서 쉬면 매우 좋다. 성당들은 보통 높은 천장과 돔 형 지붕 덕분에 쉽게 달궈지지 않고, 한낮에도 시원하기 때문이다. 그날도 쉬어 갈 겸 성당에 들어갔는데, 갑자기 앞이 보이지 않을 정도의 심한 현기증이 나면서 움직이기가 힘들었다. 성당 의자에 엎드려 한 시간 남짓 앉아 있었다. 다른 장소였다면 그렇게까지 편하게 쉴 수는 없었을 텐데, 남들이 보기에 나는 간절한 기도를 드리는 사람일 뿐이었을 것이다. 어떤 기도도 하지 않았지만, 신의 그늘 아래서 안식을 얻었다.

여행하다 보면 계획이 어그러지는 일이 흔하다. 멕시코를 여행하던 중 한 숙소에서 빈대(베드버그)가 나왔다. 숙소 주인은 너무 미안해하면서 방을 옮겨 주거나 환불을 해주겠다고 제안했다. 숙소 주인의 태도를 믿을만하다고 판단하고 방만 옮겼다. 며칠을 지내보니 지금까지 갔던 어떤 숙소보다 더러워서, 밤마다 기도했다. '다시 빈대가 나와서 숙소를 옮기고 싶다.'고. 열흘이 넘게 무사히 지나갔다고 생각했는데, 옮긴 방에서도 빈대가 나왔다. 처음 빈대가 나온 바로 옆방으로 옮겼는데, 그 방의 방제를 시작하면서 빈대가 내방으로 옮겨온 것이다. (보통 빈대는 박멸은 어렵지만 바로 옆방이라도 잘 옮겨오지 않는다.)

밤을 꼬박 지새운 후 약간의 실랑이 끝에 남은 숙박비 전부를 환불받아서 근처 숙소로 옮겼다. 새 숙소는 가격을 믿을 수 없을 정도로 깨끗하고 쾌적했다. 여행에서 모든 것이 계획대로 되지는 않는다. 이번에는 신이 빈대를 보내서, 더러운 숙소에서 나를 구원하셨다. 그날 나는 방에서 빈대가 나올 줄은 몰랐는데, 갑자기 캐리어에 어떤 문구를 쓰면 좋겠다고 생각하고 적어넣었다.

'신이 보내는 대로, 인간의 길을 따라서'

언제 어떤 사소한 사건으로, 어떤 중요한 결정에서, 여행자가 신을 만날지는 모른다. 여행으로 인생이 바뀌었다고 하는 사람들은 어쩌면 여행에서 신을 만난 사람일 수도 있다. 우리 곁에 언제나 존재했던, 어떤 거대한 힘, 우연 같은 운명, 운명 같은 우연을 읽을 수 있다면 누구나 신을 만날 수 있다.

여행에서 신을 만난 적이 있습니까?

자연이 주는 힌트

우리나라만큼 여행하기 편한 곳도 없다. 물론 잘 알고, 말이 통하기 때문이기도 하지만, 구석구석 도로나 대중교통이 잘 되어있고, 대중교통으로 가기 어려운 곳이라도 택시기사님만 믿고 가면 저절로 투어가 되기도 한다. 국내 여행의 놀라운 점은 변화의 속도가 매우 빠르다는 것인데, 몇 년 전에 다녀왔던 곳도 다음번에 방문할 때는 더 편리하게, 더 쾌적하고 단정하게 정비된 곳이 많다.

함양을 여행하던 때였는데, 다들 차로 방문하는 곳을 버스를 타고 사람 하나 없는 도로변을 걸어서 여행한 적이 있었다. 간간히 차들이 지나가는 도로를 걷다가 길가에 가득 떨어진 오디도 구경하고, 잠시 풀숲을 헤치고 사진을 찍다가 뱀도 만나고, 차로 지나갔다면 절대 만나지 못할 풍경들을 만났다. 함양은 유독 풍경이 아름다운 곳이었는데, 이 풍경의 주인이 차들이 되어 버린 것이 안타까운 생각이 들었다. 아마 내가 사는 곳이었더라면, 더 편리하지 못한 것을 한탄했을 테지만 여행을 떠나온 덕분에 이 세상의 주인이 누구인지를 생각할 기회를 얻게 되었다. 나의 이익과 편리함을 배제하면, 자연이 나의 것이 아닌 것을 깨닫게 된다. 자연 앞에서 겸허해질 것을 다시 한번 기억하게 하는 것 역시 여행이다.

여행을 이해하는 시작은 사실 자연을 이해하는 데서 시작된다. 국내 여행에서 지형이나 기후를 이해하면 지역의 특색이 보인다. 우리가 여행지에서 먹는 것, 절경 앞에 있는 숙소, 지역의 특산물 모두가 자연환경에서 비롯한 것이고, 역사의 중요한 현장에도 자연환경은 언제나 주 무대가 된다. 내가 사는 제주도는 화산섬이라는 특수한 환경 때문에 300개가 넘는 오름들이 있고, 따뜻한 바다 수온 덕분에 연중 해녀들이 활동할 수 있었다. 4.3이라는 역사적 비극 앞에서 제주도민들은 화산활동으로 생긴 천연동굴로 숨어들었다. 그 지역의 자연환경을 이해하는 것은 여행을 다방면으로 이해하는 단초가 된다. 만약 처음 가 보는 지역에 들렀다면, 지도를 한번 확인해보는 것, 지형도를 찾아보는 것은 여행지를 이해하는데, 그 지역의 특산물을 이용한 요리를 먹어보거나 쇼핑을 하는 것부터 도움이 된다. 그리고 새로운 장소를 방문할 때마다 문득 지도의 지점들과 지형들이 연결되면서, 여행지를 이해하게 되는 힌트가 돼줄 것이다.

여행지의 특별한 환경적인 특성이 있나요?

여행지를 대표하는 특산물이나 상징적인 자연물이 있는 곳인가요?

역사적으로 문화적으로 중요한 자연적 환경이 있는 곳인가요?

이번 여행에서 만난 자연의 위력은 어떤 것이었나요?

날씨는 어땠나요?

사람과 자연의 관계를 여행에서 본 적이 있나요?

이번 여행에서 방문한 곳 중 가장 인상 깊었던 곳은 어디였나요?

[책이라는 문   ]

여행작가는 내가 되고 싶은 것이었다. 영원히 기억 속 그 해변에 서 있고 싶었고, 눈으로 덮인 세상을 헤쳐나가던 기차 안에서 영원히 창밖을 바라보고 싶었다. 그럴 수 있는 사람이 있다면 여행작가였다. 여행책을 쓰는 것은 영원한 여행 속에 있기 위해 치러야 하는 대가 같은 것이었다. 오랫동안 여행을 곱씹으면서 제발 글로 쓰는 여행이 끝나게 해달라고 빌 때까지 끝나지 않는다. 책으로 나온 여행은 내가 보낸 고통의 시간에 비해서는 무척이나 부족한 것이 많았다.

첫 책을 쓰던 그 막막했던 그 순간으로 돌아가서, 내게 필요했던 것들을 정리하는 마음으로 썼다. 퇴고하면서 읽어보니, 나에게 하는 잔소리였다는 생각이 든다. 부지런히 써야 한다. 스스로 마감을 지켜야 한다면서 수 없는 잔소리를 모은 책이 되고 말았다.

여행은 그때 동행한 가족이나 친구와 밤새 떠들고도, 몇 년이 지나도 도돌이표처럼 같은 이야기를 또 하고 또 해도 질리지 않는 보물 같은 수다의 원천이다. 여행을 쓰는 것은 그래서 다른 글을 쓰는 것보다 수월하다. 기억을 더듬을 때마다 또 다른 좋은 기억들이 살아나기 때문이다.

돌이켜보니 좋기만 한 날들이 있다면, 여행이다. 아무 기대 없이 그냥 좋았던 날로 돌아갈 수 있는, 내가 사랑했던 그곳에서 영원히 살 수 있는 문을 하나 만들고 싶었다. 그것이 나에게는 여행 책이었다. 효과는 확실했다. 책으로 쓴 그 날은 지난 어떤 여행보다 선명했고, 언제든 그곳에서 그날로 살 수 있었다. 몇십 년이 지나도 기억할 좋은 것들로 가득한 문을 누구라도 가지면 좋겠다.

2024. 멕시코 산크리스토발 데 라스 카사스
올레비엔